SIR ARTHUR C...

# Les aventures
# e Sherlock Holmes
## tome 2

traduit de l'anglais par
BERNARD TOURVILLE

illustrations de
AUDE CROGNIER

Castor Poche Flammarion

**Sir Arthur Conan Doyle,** l'auteur, est né à Edimbourg en 1859, il est mort dans le Sussex en 1930. Il fit des études de médecine et exerça à Southsea de 1882 à 1890.

Son premier récit policier, *La tache écarlate,* parut en 1887, et décida de sa carrière. A partir de 1892, dans *Les aventures de Sherlock Holmes,* il a donné à son personnage de policier amateur une dimension exceptionnelle, qui a même influencé les méthodes de la criminologie moderne.

Très brillant, Conan Doyle est l'auteur de nombreuses nouvelles, de romans historiques, d'une histoire de *La guerre des Boers,* et d'une histoire en six volumes de la Grande Guerre.

Il s'est intéressé à la protection et à l'équipement des militaires britanniques. Il fut également un sportif accompli, s'adonnant au football, au cricket, à la course automobile, à la boxe...

Du même auteur dans Castor Poche :
*Les aventures de Sherlock Holmes tome 2,* n° 469 ;
*Le chien des Baskerville,* n° 478.

**Christian Broutin,** l'illustrateur de la couverture, est né le 5 mars 1933, par un curieux hasard, dans la cathédrale de Chartres... Après des études classiques, il est élève à l'Ecole des métiers d'art et sort le premier de sa promotion. Il est l'auteur d'une centaine d'affiches de films ainsi que de nombreuses couvertures de livres et de magazines.

## Les aventures de Sherlock Holmes tome 2 :

De l'histoire de *L'homme à la bouche tordue* à celle du *Pouce de l'ingénieur,* Sherlock Holmes nous entraîne du monde trouble des bas-fonds londoniens jusque dans la campagne anglaise.

Avec le brio et l'intelligence exceptionnelles que nous lui connaissons, il élucide les énigmes les plus mystérieuses, confond les criminels les plus retors, le tout avec son flegme bien britannique...

# L'HOMME
# A LA LÈVRE TORDUE

Isa Whitney, frère de feu Elias Whitney et docteur en théologie, directeur par surcroît du Collège de théologie de Saint-Georges, s'adonnait beaucoup à l'opium. Il en avait pris l'habitude à la suite d'une curiosité de jeune homme : lorsqu'il était étudiant, il avait lu Quincey ; cette description de rêves et de sensations l'impressionna ; un jour il mouilla du tabac avec du laudanum, pour voir ce qui arriverait. Comme tant d'autres il découvrit qu'il était plus facile de s'intoxiquer que de se désintoxiquer ; aussi devint-il esclave de la drogue pendant de nombreuses années, en même temps qu'un objet d'horreur et de pitié pour ses amis et sa famille. Je le revois encore, avec son visage jaune, empâté, des paupières baissées et des pupilles sans expression, tassé dans son fauteuil : l'image du naufrage et de la ruine d'un bel homme.

Un soir, c'était en juin 1889, on sonna à ma porte : exactement à l'heure où les honnêtes gens s'accordent un premier bâillement et regardent l'heure. Je me levai de ma chaise : ma femme reposa son tricot et soupira :

— Un malade ! fit-elle. Vous allez être obligé de sortir.

Je répondis par un grognement plaintif, car ma journée avait été épuisante.

Nous prêtâmes l'oreille : la porte de l'entrée s'ouvrit, on parlementa hâtivement, on courut dans le couloir, et on se précipita dans la pièce où nous nous tenions : c'était une dame vêtue de sombre avec une voilette noire.

— Excusez-moi de vous déranger si tard ! commença-t-elle.

Puis, perdant subitement le contrôle de ses nerfs, elle s'abattit sur l'épaule de ma femme et éclata en sanglots.

— Oh ! s'écria-t-elle. Je n'en peux plus : j'ai besoin qu'on m'aide un peu !

— Comment ! s'exclama ma femme qui avait soulevé la voilette. Mais c'est Kate Whitney ! Vous m'avez confondue, Kate : quand vous êtes entrée, je ne vous avais pas reconnue.

— Je ne savais pas quoi faire : alors je suis venue droit chez vous.

Nous avions l'habitude : les gens en peine venaient vers ma femme comme des oiseaux vers un phare.

— Vous avez eu raison ! Allons, prenez un peu de vin et d'eau, asseyez-vous commodément, et bavardons. A moins que vous ne préfériez que j'envoie James au lit ?

— Oh! non, non! J'ai aussi besoin d'un conseil et de l'aide du docteur. Il s'agit d'Isa. Il y a deux jours il n'est pas rentré. Je suis très inquiète...

Ce n'était pas la première fois qu'elle nous parlait de ses déboires conjugaux : à moi qui étais médecin, et à ma femme qui était une ancienne camarade d'école, une vieille amie. Nous entreprîmes de la réconforter et de la consoler par les mots qui nous venaient aux lèvres. Savait-elle où se trouvait son mari? Etait-il possible de le lui ramener chez elle?

Sans doute, c'était possible! Elle avait un renseignement sûr : ces derniers temps, quand il était en crise, il se rendait dans un antre d'opiomanes au fin fond de l'est de Londres.

Jusqu'ici ses orgies n'avaient pas excédé vingt-quatre heures, après quoi il rentrait chez lui brisé et titubant. Mais maintenant quarante-huit heures s'étaient écoulées : il devait se trouver parmi la lie des matelots, aspirant le poison ou terrassé par son effet : très certainement au Bar de l'Or, dans Upper Swandam Lane. Mais que pouvait-elle faire ? Comment elle, femme jeune et timide, pénétrerait-elle dans un pareil endroit pour extraire son mari de la foule bestiale qui l'entourait ?

Telle était l'affaire, et bien entendu il n'y avait qu'un moyen de la régler : ne pourrais-je pas l'accompagner là-bas ? ou même, tout bien réfléchi, pourquoi viendrait-elle avec moi ? J'étais le conseil médical d'Isa Whitney ; je disposais en cette qualité d'une influence indéniable. Seul, je m'en tirerais mieux... Je lui promis que je le renverrais, dans un fiacre, chez lui avant deux heures s'il se trouvait vraiment à l'adresse indiquée. En dix minutes, j'avais abandonné mon fauteuil, mon salon douillet, ma paix et mon envie de dormir pour foncer vers l'est ; dès le départ, cette course me semblait extravagante : je n'étais pas au bout de mes surprises.

La première étape se déroula sans grandes difficultés. Upper Swandam Lane est une ruelle sordide, camouflée derrière les hauts wharfs qui longent le côté nord du fleuve vers l'est du pont de Londres. Entre une boutique où l'on vendait des frusques et un débit de boissons, je trouvai l'antre dont j'étais en quête : on en approchait par des marches hautes qui descendaient vers une ouverture noire, quelque chose comme le seuil d'une cave. J'ordonnai à mon cocher de m'attendre et dégringolai les marches : elles étaient creusées, en leur milieu, par les innombrables allées et venues des fumeurs. Grâce à la lumière tremblotante d'une lampe à huile au-dessus de la porte, je tournai le loquet et pénétrai dans une pièce longue, basse de plafond ; la fumée brune de l'opium y stagnait pesante et opaque : des couchettes sur des lattes de bois s'étalaient en étages : on aurait dit le gaillard d'avant d'un bateau d'émigrants.

A travers l'obscurité brumeuse, il était possible de distinguer vaguement des corps étendus dans des positions étrangcs : épaules arquées, genoux pliés, têtes rejetées en arrière avec un menton qui pointait en l'air. Ici et là un œil sombre et éteint se posait sur le nouveau venu. Sur l'ombre noire se détachaient de petits cercles rouges dont la lueur était tantôt brillante, tantôt faible, selon que le poison brûlait, croissait ou décroissait dans les fourneaux des pipes. La plupart des opiomanes étaient muets ; quelques-uns parlaient tout seuls ; d'autres conversaient d'une voix bizarre, basse, monotone : leurs paroles jaillissaient par saccades, coupées soudain par des silences ; chacun alors s'enfermait dans ses pensées, et nul ne faisait attention aux mots prononcés par le voisin. Tout au bout il y avait un brasero, à côté duquel sur une chaise à trois pieds se tenait un vieil homme grand et mince : son menton reposait sur ses deux poings, ses coudes sur ses genoux, et il contemplait le feu.

Lorsque je fis mon entrée, un Malais au teint jaune se précipita vers moi en me tendant une pipe, de la drogue, et voulut me conduire vers une couchette vide.

— Merci, lui dis-je. Je ne reste pas. Il y a ici un ami à moi et je désire lui parler : M. Isa Whitney.

Il y eut sur ma droite des gestes et une exclamation ; essayant de percer le brouillard obscur, j'aperçus Whitney blanc comme un linge, hagard, hirsute, qui me regardait.

— Mon Dieu, mais c'est Watson ! s'écria-t-il.

Il était en pleine réaction, avec chaque nerf à fleur de peau, pitoyable.

— Dites, Watson, quelle heure est-il ?

— Près de onze heures.

— De quel jour ?

— De vendredi 19 juin.

— Bon Dieu ! Je croyais que nous étions mercredi... Evidemment *c'est* aujourd'hui mercredi ! Pourquoi diable effrayer un ami, Watson ?

Il enfouit sa figure dans ses bras, et il se mit à sangloter au diapason d'un soprano léger.

— Je vous dis que nous sommes vendredi, mon vieux ! Votre femme vous attend depuis deux jours. Vous devriez avoir honte !

— J'ai honte, oui. Mais vous confondez tout, Watson. Car je ne suis ici que depuis quelques heures : trois pipes, quatre pipes, j'ai oublié le nombre... Allons, je vais rentrer avec vous. Je ne voudrais pas faire de la peine à Kate : pauvre petite Kate ! Tenez ma main. Avez-vous un fiacre ?

— Oui. Dehors. Il nous attend.

— Alors j'y vais. Mais je dois quelque chose ici. Trouvez ce que je dois, Watson ! Je ne suis pas dans mon assiette : je suis incapable de rien faire tout seul.

Je descendis par l'étroit passage que laissait la double rangée de couchettes, en retenant ma respiration pour ne pas m'intoxiquer tant la fumée était épaisse, et je cherchai le patron. Au moment où je passais près de l'homme long et mince qui était assis près du brasero, je me

sentis tiré par la manche et une voix basse me murmura :

— Dépassez-moi, puis regardez derrière vous.

Les mots tombèrent distinctement dans mes oreilles. Je jetai un coup d'œil autour de moi : ils ne pouvaient avoir été prononcés que par le vieil homme, et cependant il avait l'air parfaitement absorbé ; il était très maigre, tout ridé, courbé par l'âge ; une pipe d'opium pendait entre ses genoux, comme s'il l'avait laissée échapper de ses doigts las. Je fis deux pas en avant, et je me retournai. Il me fallut une extraordinaire volonté pour ne pas crier de surprise : l'homme s'était tourné pour que personne ne pût l'apercevoir, et sa silhouette s'était étoffée, ses rides avaient disparu, ses yeux éteints avaient retrouvé leur éclat ; assis près du brasero, grimaçant devant ma stupéfaction, Sherlock Holmes me regardait. Il me fit signe d'approcher et, comme il se retournait vers la salle, il recouvra instantanément sa sénilité dodelinante et abrutie.

— Holmes ! chuchotai-je. Que diable faites-vous dans cette caverne ?

— Parlez aussi bas que possible, répondit-il. J'ai des oreilles très fines. Si vous aviez la bonté de vous débarrasser de cet abruti, je serais enchanté d'avoir avec vous une petite conversation.

— J'ai un fiacre à la porte.

— Alors par pitié renvoyez votre ami chez lui. N'ayez aucune inquiétude à son sujet : il est trop flasque pour risquer un accident. Remettez donc au cocher un petit mot pour votre femme : dites-lui que je vous ai accaparé, et qu'elle n'a rien à redouter. Si vous m'attendez dehors, je vous retrouverai dans cinq minutes.

Il était difficile de refuser quelque chose à Holmes, car il formulait ses demandes avec une précision extrême tout en les entourant de mystère. Par ailleurs, lorsque Whitney serait hissé dans le fiacre, ma mission se trouverait achevée. Enfin je ne pouvais souhaiter rien de mieux que de me trouver mêlé une fois de plus à l'une des singulières aventures dont la somme constituait l'existence normale de mon ami. En quelques minutes donc, j'eus tôt fait de payer la note de Whitney, de rédiger un petit mot pour ma femme et de conduire au fiacre « cet abruti ». Au bout d'un temps très court, un visage décrépit émergea de la taverne et je descendis la rue avec Serlock Holmes. Il clopina avec son dos voûté puis, ayant observé si personne ne le voyait, il se redressa d'un coup et éclata de rire.

— Je parie, Watson, dit-il, que vous imaginez que j'ajoute les fumées de l'opium aux injections de cocaïne et à toutes les autres petites faiblesses dont vous m'accablez.

— J'étais ahuri de vous trouver là, cela oui !

— Et moi, quand je vous ai vu ?

— J'étais venu chercher un ami.

— Et moi un ennemi.

— Un ennemi ?

— Oui : l'un de mes ennemis naturels ; ou plutôt, devrais-je dire, l'une de mes proies naturelles. En bref, Watson, je suis plongé dans une enquête passionnante, et j'espérais découvrir une piste en écoutant les bavardages incohérents de ces idiots : si j'avais été reconnu, je n'aurais pas donné cher de ma vie, car je suis déjà venu autrefois dans un dessein bien précis et assez particulier ; l'immonde truand qui en est le patron a juré de se venger. Sur l'arrière de la maison, il y a une sorte de trappe, près de l'angle du quai Saint-Paul. D'étranges objets pendant les nuits sans lune sont passés par là, soyez-en sûr !

— Comment ! D'étranges objets ? Vous ne voulez pas dire...

— Des corps ? hé ! si, Watson ! Nous serions bien riches vous et moi si nous avions reçu mille livres pour chaque pauvre diable qui a trouvé la mort dans cette caverne. Sur tout le bord de ce fleuve, c'est la machine à crimes la plus abominable. Et je crains fort que Neville Saint-Clair ne s'y soit laissé engrener. Mais notre machine à nous doit être ici...

Il plaça entre ses dents ses deux index et siffla. A ce signal répondit un autre, analogue, auquel succédèrent bientôt le roulement d'une voiture et un cliquetis de sabots.

— Dites, Watson ! interrogea Holmes tandis qu'une grande charrette anglaise surgissait de l'obscurité avec ses deux lanternes latérales, vous venez avec moi, n'est-ce pas ?

— Si je puis vous être utile...

— Oh ! un camarade à qui se fier est toujours utile ! Surtout si cet ami se double d'un chroniqueur. Ma chambre aux Cèdres est une chambre à deux lits.

— Les Cèdres ?

— Oui. C'est la demeure de M. Saint-Clair. J'y habite tant que dure mon enquête.

— Où est-ce ?

— Près de Lee, dans le Kent. A une douzaine de kilomètres d'ici.

— Mais je ne comprends rien à tout cela, moi !

— Bien sûr, vous ne comprenez rien encore ! Mais bientôt vous saurez tout. Montez ! Parfait, John : nous n'avons plus besoin de vous. Voici une demi-couronne. Venez me chercher demain vers onze heures. Lâchez la bride. A bientôt !

Il fouetta le cheval, et nous trottâmes à travers un quartier interminable ; les rues étaient sombres et désertes ; tout de même, elles s'élargirent graduellement et nous aboutîmes à un grand pont à parapet sous lequel mugissait sourdement le fleuve. Au-delà s'étendait un autre paysage de briques et de mortier, où le silence n'était rompu que par le pas lourd et régulier des policemen ou les cris et les chants de bambocheurs attardés. Des nuages sombres dérivaient majestueusement dans le ciel ; une étoile ou deux apparaissaient furtivement, puis se dissimulaient... Holmes conduisait en silence ; sa tête reposait sur sa poitrine ; il avait l'air d'un homme perdu dans ses réflexions. Je me demandais de quel ordre pouvait être une enquête qui semblait tellement l'absorber, mais je n'osais pas le déranger par mes questions.

Nous avions franchi plusieurs kilomètres et nous avions atteint la ceinture des villas qui

bordent la banlieue : alors Holmes se secoua,
haussa les épaules, et alluma sa pipe ; cette fois
il avait tout à fait l'air d'un homme content de
lui, et sûr d'avoir agi pour le mieux.

— Vous possédez à un degré magnifique le
don du silence ! me dit-il. Ce qui vous rend un
compagnon incomparable. Je vous assure que
c'est énorme, pour moi, d'avoir quelqu'un à qui
parler librement, car mes propres pensées ne
sont pas très agréables. Je cherchais, figurez-
vous, quoi dire à une chère petite femme quand
nous la rencontrerons sur le seuil de sa maison.

— Vous oubliez, Holmes, que je ne sais rien
de l'affaire !

— J'aurai juste le temps de vous conter les

faits avant que nous arrivions à Lee. Tout semble absurdement simple, et pourtant je ne saisis rien de palpable. Il y a beaucoup de fils, comprenez-vous ? mais je n'en tiens pas le bout dans ma main. Maintenant je vais faire le point, Watson, le plus clairement et le plus précisément possible ; peut-être verrez-vous poindre l'étincelle qui illuminerait l'obscurité où je me débats.

— Allez-y, Holmes !

— Il y a quelques années, exactement en mai 1884, vint s'établir à Lee un gentleman apparemment nanti de beaucoup d'argent et qui s'appelait Neville Saint-Clair. Il choisit une villa spacieuse, disposa joliment les terrains tout autour, et vécut en général avec bon goût. Il se fit des amis dans le voisinage ; en 1887, il épousa la fille d'un brasseur de l'endroit ; de cette union naquirent deux enfants. Il n'avait pas d'occupation, mais il possédait des intérêts dans plusieurs sociétés : tous les matins il se rendait en ville, d'où il rentrait par le train de cinq heures quatorze. M. Saint-Clair est âgé aujourd'hui de trente-sept ans ; c'est un homme habituellement sobre, un bon mari, un père affectueux : sympathique et même populaire auprès de tous ceux qui l'approchent. Je suis en mesure d'ajouter, sous réserve de contre-indications ultérieures, que ses dettes s'élèvent au total à quatre-vingt-huit livres et dix shillings, mais que son compte en banque est créditeur de deux cent vingt livres à la Capital and Counties Bank. Il n'y a donc pas lieu de penser que des ennuis d'argent ont dérangé son esprit !

» Lundi dernier, M. Neville Saint-Clair partit pour la ville plus tôt que de coutume ; avant de sortir, il déclara qu'il avait deux courses importantes à faire et qu'il rapporterait à son petit garçon une boîte de constructions. Par hasard, très peu de temps après son départ, sa femme reçut un télégramme lui annonçant qu'un petit colis de valeur, qu'elle attendait, était à sa disposition aux bureaux de l'Aberdeen Shipping Compagny. Si vous connaissez bien votre Londres, vous savez que les bureaux de cette société ont leur siège dans Fresno Street, qui débouche dans Upper Swandam Lane, où vous m'avez rencontré cette nuit. M$^{me}$ Saint-Clair déjeuna avant de partir pour la City, fit quelques emplettes, se rendit aux bureaux de la société, prit son paquet, si bien qu'à quatre heures trente-cinq exactement elle marchait dans Swandam Lane en direction de la gare pour rentrer chez elle. M'avez-vous bien suivi jusque-là ?

— Parfaitement.

— Si vous vous en souvenez, il faisait terriblement chaud lundi ; aussi, M$^{me}$ Saint-Clair ne se pressait point. Elle regardait de temps à autre si elle n'apercevait pas un fiacre, car le quartier ne lui plaisait guère. En descendant Swandam Lane, elle entendit une sorte d'exclamation ou de cri ; elle se retourna et, ô stupeur ! elle crut reconnaître derrière une fenêtre du deuxième étage son mari qui la regardait et l'appelait par gestes. La fenêtre était ouverte ; elle vit donc distinctement le visage familier, mais bouleversé par une agitation extrême. Il

agita frénétiquement ses mains vers elle, puis il disparut de la fenêtre comme s'il avait été happé par le dos. Détail particulier, qui frappa son œil féminin : bien qu'il portât le costume sombre avec lequel il était sorti le matin, il était sans col ni cravate.

» Convaincue qu'il lui était arrivé quelque chose, elle dégringola les marches, car cette maison n'était rien d'autre que la caverne de brigands où nous nous sommes si curieusement retrouvés tout à l'heure ; elle traversa la pièce du devant pour monter l'escalier qui conduit aux étages. Mais au bas des marches, elle se heurta au coquin de patron dont je vous ai parlé : il la prit par les épaules, et, aidé d'un Danois qui lui sert de second, la chassa dans la rue. Folle d'une terreur et de tous les soupçons que vous imaginez, elle quitta Swandam Lane et eut la bonne fortune de tomber, dans Fresno Street, sur une escouade de policiers qui faisaient leur ronde. Un inspecteur et deux agents l'escortèrent dans la caverne ; en dépit des protestations et de la résistance du patron, ils montèrent dans la pièce où M. Saint-Clair avait été vu. Il n'y avait plus trace de lui. En fait, dans tout l'étage, on ne trouva personne ; sauf un misérable infirme, à la figure hideuse, qui semblait habiter là. Lui et le patron jurèrent leurs grands dieux que de tout l'après-midi il n'y avait eu personne d'autre. Leurs dénégations étaient si fermes et paraissaient si sincères que l'inspecteur en fut ébranlé ; il commença à se demander si Mme Saint-Clair n'avait pas été le jouet d'une illusion lorsqu'elle bondit en poussant un cri : une petite boîte en bois était posée sur la table, elle en arracha le couvercle : une cascade de morceaux de bois tombèrent sur le plancher ; c'était le jeu de constructions qu'il avait promis de ramener à son petit garçon.

» Cette découverte, et le trouble évident que ne put réprimer l'infirme, suffirent pour que l'inspecteur comprît que l'affaire était sérieuse. Les pièces furent l'une après l'autre fouillées de fond en comble ; le résultat de ces investigations permit de supposer qu'un crime abominable avait été commis. La pièce du devant était meublée comme un salon ; elle conduisait à une petite chambre à coucher, qui donnait sur l'arrière de l'un des wharfs. Entre le wharf et la fenêtre de la chambre s'étend une petite langue de terrain, sèche à marée basse, mais qui à marée haute est recouverte par au moins un mètre quarante d'eau. La fenêtre de la chambre était large et s'ouvrait de bas en haut. Son examen révéla des traces de sang sur le rebord ; quelques gouttes furent même repérées sur le plancher de la chambre. Et, jetées derrière un rideau de la pièce du devant, gisaient les affaires de M. Neville Saint-Clair, à l'exception toutefois de son costume ; il y avait ses souliers, ses chaussettes, son chapeau et sa montre. Sur aucun de ces objets il ne fut possible de déceler la moindre trace de violences, mais M. Neville Saint-Clair avait disparu : sans doute par la fenêtre puisqu'il n'y avait pas d'autre issue ; les taches de sang semblent interdire l'espoir qu'il a pu se sauver à la nage : en effet, la marée était à son maximum au moment de la tragédie.

» Venons-en maintenant aux bandits qui semblent être directement impliqués dans l'affaire. Le patron est connu pour ses détestables antécédents. Mais M$^{me}$ Saint-Clair ayant déclaré qu'il se trouvait au bas de l'escalier quelques secondes après la dernière apparition de M. Saint-Clair à la fenêtre, il ne pouvait être considéré au pis, en l'occurrence, que comme un complice du crime. Il se défendit en arguant de son ignorance absolue des faits et gestes de son locataire, Hugh Boone, et en protestant qu'il ne pouvait être rendu responsable de la présence des affaires d'un gentleman qui avait disparu.

» Voilà pour le patron. Passons maintenant au sinistre infirme qui habite le deuxième étage de cette taverne. Il est certainement le dernier être humain à avoir vu vivant Neville Saint-Clair. Il s'appelle Hugh Boone. Son hideux visage est connu de tous ceux qui fréquentent la City.. C'est un mendiant professionnel ; mais pour ne pas contrevenir aux règlements de la police, il prétend se livrer à un petit commerce d'allumettes-bougies. Quand vous descendez Threadneedle Street à main gauche, vous trouvez au début un petit renfoncement : là se tient quotidiennement assis cette créature du diable, jambes croisées, avec une minuscule provision d'allumettes sur le ventre ; il est si pitoyable qu'une pluie de petite monnaie tombe dans la casquette crasseuse qu'il pose précautionneusement sur le trottoir devant lui. J'avais observé ce type bien des fois, hors de tout souci professionnel, et j'avais été surpris de la moisson qu'il récoltait en peu de temps dans sa casquette. Son aspect lui interdit de passer inaperçu : une tignasse orange, une figure blême traversée par une cicatrice horrible qui, dans sa contraction des chairs, relève en le tordant le bord extérieur de la lèvre supérieure, un menton de bouledogue, et une paire d'yeux noirs très pénétrants qui contrastent violemment avec les cheveux orange... Tout cela le distingue de la masse informe et banale des indigents ; et aussi la vivacité de son esprit ; il a en effet la réplique toujours prompte à n'importe quelle raillerie des passants. Tel est l'homme dont nous savons à présent qu'il est le

locataire de la taverne, et le dernier à avoir vu le gentleman que nous recherchons.

— Mais un infirme ! m'écriai-je. Que pouvait-il tenter tout seul contre un homme dans la force de l'âge ?

— C'est un infirme en ce sens qu'il boitille. Mais par ailleurs, il donne l'impression d'être très musclé et bien en chair. Votre expérience médicale, Watson, vous dirait sûrement qu'une faiblesse dans un membre est souvent compensée par une force exceptionnelle dans les autres.

— Continuez, continuez...

— M^{me} Saint-Clair s'était évanouie à la vue du sang sur le rebord de la fenêtre ; la police la ramena chez elle, car sa présence n'était plus d'aucune utilité pour la marche de l'enquête. L'inspecteur Barton, qui a pris l'affaire en main, s'est livré à une inspection minutieuse des locaux, mais il n'a rien trouvé qui pût apporter un commencement de preuve. Une faute a été commise : Boone n'a pas été arrêté immédiatement ; pendant quelques minutes, il a pu s'entendre avec son ami le patron ; cette faute a été brève ; il a été arrêté, fouillé, interrogé ; mais en vain : on manque d'éléments pour l'inculper. Sur sa manche droite, c'est vrai, on a relevé quelques traces de sang ; mais il a montré son annulaire, entaillé près de l'ongle, et il a prétendu que le sang venait de cette blessure. Il a affirmé qu'il s'était mis à la fenêtre quelques instants auparavant, et que le sang qu'on y avait remarqué provenait de la même origine. Il a obstinément nié avoir connu M. Neville Saint-Clair et il a juré que la présence de ses affaires dans sa chambre lui était aussi incompréhensible qu'à la police. Quant à la déclaration de M<sup>me</sup> Saint-Clair qui aurait vu son mari à la fenêtre de la pièce du devant, il la qualifia de rêverie et d'aberration. En dépit de ses protestations véhémentes, il a été conduit au poste de police, tandis que l'inspecteur demeurait sur les lieux dans l'espoir que la marée descendante révélerait un indice nouveau.

» En fait, il y en eut un ; on aperçut dans la vase, juste sous la fenêtre, le costume de Neville Saint-Clair, mais pas Neville Saint-Clair ; le reflux le mit à découvert. Maintenant, que pensez-vous que l'on trouva dans ses poches ?

— Je ne sais pas...

— Oh ! je ne pense pas que vous puissiez deviner ! Chaque poche était bourrée de petites pièces de monnaie : quatre cent vingt et une d'un penny, soixante-dix d'un demi-penny. Rient d'étonnant, donc, à ce que la marée n'ait pu le déplacer ! Pour le corps, c'est autre chose. Entre le wharf et la maison, il y a un remous violent. Vraisemblablement le costume alourdi est resté au fond, tandis que le corps, tout nu, a été emporté par le fleuve.

— Mais, puisque toutes les autres affaires ont été trouvées dans la chambre ? Le corps aurait donc été habillé simplement d'un costume ?

— Ici, monsieur, intervient la spéculation. Supposons que ce Boone a jeté par la fenêtre Neville Saint-Clair et que personne ne l'a vu. Que va-t-il faire ensuite ? Se débarrasser au plus

vite des vêtements révélateurs. Il a dû empoigner le costume, mais au moment de le lancer
dehors, il a réfléchi qu'il pouvait flotter et non
enfoncer. Or, il avait peu de temps à lui, car il
avait entendu en bas la femme qui essayait de
monter l'escalier, et peut-être avait-il été averti
par son copain le patron que la police allait
survenir. N'ayant pas un instant à perdre, il se
précipita vers la cachette où il doit accumuler
les recettes de sa mendicité, et il bourra les
poches de petite monnaie, de façon que le
costume disparût au fond. Il le jeta par la
fenêtre, et il aurait fait la même chose avec le
reste des affaires de Neville Saint-Clair s'il
n'avait pas entendu la ruée des policiers dans
l'escalier : il eut juste assez de temps pour
fermer la fenêtre, avant que la police fasse
irruption chez lui.

— Tout cela apparaît plausible, évidemment.

— Prenons-le pour une hypothèse de travail
à défaut de mieux. Boone, comme je vous l'ai
dit, a été arrêté et conduit au poste de police ;
néanmoins, rien de positif n'a été relevé contre
lui. Depuis des années, il est classé comme
mendiant professionnel, mais à première vue sa
vie n'a rien comporté d'inquiétant ni de criminel. Voilà où en sont les choses. Reste à savoir
ce que Neville Saint-Clair faisait dans cet antre
d'opiomanes, ce qui lui arriva quand il y était,
ce qu'il est devenu, ce que Hugh Boone a à voir
dans sa disparition. Autant de questions auxquelles je n'entrevois pas l'ombre d'une solution pour l'instant. J'avoue que, au cours de ma

carrière, je n'ai jamais vu une affaire aussi simple en apparence, et qui cependant présente autant de difficultés.

Pendant que Sherlock Holmes détaillait cette singulière série d'événements, nous avions roulé. La grande ville était loin à présent, nous nous trouvions en pleine campagne, entre des haies. Quand il eut terminé, nous aperçûmes les lumières dc deux villages.

— Nous voici près de Lee, dit mon compagnon. Dans cette courte promenade, nous avons touché à trois comtés anglais : nous sommes partis du Middlesex, nous avons coupé un angle du Surrey, et nous terminons par le Kent. Voyez-vous cctte lueur parmi les arbres ? Ce sont les Cèdres. A côté de cette lampe se tient une femme dont les oreilles anxieuses ont déjà perçu le bruit des sabots de notre cheval.

— Mais pourquoi ne menez-vous pas l'affaire de Baker Strcet ?

— Parce qu'il y a toutes sortes d'enquêtes à faire par ici. M$^{me}$ Saint-Clair a le plus gentiment du monde mis deux lits à ma disposition : vous pouvez être assuré qu'elle accueillera de son mieux mon collègue et ami. Je redoute de la rencontrer, Watson, car je n'ai pas de nouvelles à lui donner. Nous sommes arrivés. Ho là, ho !

Nous étions arrêtés devant la façade d'une grande villa. Un valet d'écurie se précipita à la tête du cheval ; je sautai à bas et suivis Holmes qui gravissait l'allée de gravier montant en lacet vers la maison. A notre approche, la porte s'ouvrit, et une petite femme blonde se posta sur le seuil ; elle avait une robe en légère mousseline de soie, avec au cou et aux poignets des parements roses. Elle se découpait nettement dans la lumière : elle avait une main sur la porte, l'autre à demi levée en signe d'impatience ; son corps était à demi penché ; tout son visage exprimait une interrogation avide :

— Hé bien ? cria-t-elle. Hé bien ?

Quand elle distingua nos deux silhouettes, elle poussa un cri d'espoir qui se mua en gémissement devant la dénégation et le haussement d'épaules de mon ami.

— Pas de bonnes nouvelles ?

— Non.

— Pas de mauvaises ?

— Non plus.

— Dieu merci ! Mais entrez. Vous devez être fatigué, car votre journée a été longue !

— Je vous présente mon ami, le docteur Watson. Il m'a été d'une utilité vitale dans plusieurs affaires ; j'ai eu la chance de le rencontrer et je me le suis adjoint pour cette enquête.

— Je suis très heureuse de vous connaître, fit-elle en me serrant chaleureusement la main. Vous voudrez bien m'excuser, j'en suis sûre, si tout n'est pas parfait dans votre séjour ici, mais avec le coup terrible qui nous a frappés...

— Chère madame, lui dis-je, je suis un vieux soldat ! Mais si je ne l'étais pas, je n'en trouverais pas moins vos excuses inutiles. Si je puis vous être de quelques secours, soit à vous, soit à mon ami ici présent, j'en serai ravi.

— Maintenant, monsieur Sherlock Holmes, dit la dame en nous conduisant dans une salle à

manger très éclairée où un souper froid était servi, j'aimerais bien vous poser une ou deux questions fort claires, auxquelles je vous serais reconnaissante de répondre avec la même clarté.

— Certainement, madame.

— N'ayez aucune inquiétude quant à mes réactions. Je n'ai rien d'une hystérique, et je ne m'évanouis pas facilement. Je voudrais simplement connaître votre opinion, votre opinion réelle.

— Sur quel point ?

— Au fond de votre cœur, croyez-vous que Neville soit encore en vie ?

Sherlock Holmes parut embarrassé par la question.

— Soyez franc ! ordonna-t-elle.

Elle se tenait bien droite ; quand il s'assit sur une chaise, elle plongea ses yeux dans les siens.

— Franchement, madame ? Alors, je ne crois pas.

— Vous croyez qu'il est mort ?

— Je le crois.

— Assassiné ?

— Je n'ai pas employé ce terme. Peut-être l'a-t-il été.

— Et quel jour est-il mort ?

— Lundi.

— Alors, monsieur Holmes, peut-être serez-vous assez aimable pour m'expliquer comment il se fait que j'aie reçu une lettre de lui aujourd'hui ?

Sherlock Holmes bondit de son fauteuil comme s'il avait reçu une décharge électrique.

— Quoi ? rugit-il.

— Oui, aujourd'hui.

Elle souriait ; elle lui tendit dans sa main une petite feuille de papier.

— Puis-je lire ?

— Certainement.

Il la lui arracha presque des mains, dans son impatience. L'étalant sur la table, il approcha une lampe et il l'examina avec une attention intense. J'avais abandonné ma chaise, et je regardais aussi par-dessus son épaule. L'enveloppe était de très mauvaise qualité ; elle portait le timbre de la poste de Gravesend, avec la date d'aujourd'hui, ou plutôt d'hier, car minuit était déjà passé.

— L'écriture de l'adresse est bien vulgaire !

murmura Holmes. Ce n'est sûrement pas celle de votre mari, madame.

— Non ! mais celle de la lettre, oui.

— Je vois aussi que la personne qui a expédié la lettre a dû se renseigner pour avoir l'adresse.

— Comment le voyez-vous ?

— Regardez : le nom est écrit d'une encre parfaitement noire, qui s'est séchée toute seule. Mais le reste de l'adresse est d'une teinte grisâtre : un buvard a donc été utilisé. Si tout avait été écrit en même temps, et séché d'un coup de buvard, il n'y aurait rien eu de plus foncé. L'expéditeur a écrit le nom, puis il s'est écoulé un moment avant que l'adresse n'ait été écrite à son tour : ce qui tend à prouver qu'elle ne lui était pas familière. Il s'agit, bien entendu, d'un tout petit détail, mais les tout petits détails sont très importants. A présent, voyons la lettre. Ah ! elle contenait quelque chose !

— Oui, elle contenait une bague ; sa chevalière.

— Et vous êtes sûre que la lettre est de la main de votre mari ?

— De sa main. Il était très pressé. Cette écriture ne ressemble guère à son écriture habituelle, et pourtant, je la reconnais.

*Chérie, ne t'inquiète pas. Tout ira bien. Il y a une erreur colossale, et il faudra quelque temps pour la corriger. Attends patiemment. Neville.*

— Ecrit au crayon sur la page de garde d'un livre, format octavo, sans filigrane. Posté aujourd'hui à Gravesend par un homme au pouce sale. Ah ! Et l'enveloppe a été collée, si je ne me trompe, par un amateur de tabac à mâcher. Vous n'avez aucun doute, n'est-ce pas, madame ? C'est bien l'écriture de votre mari ?

— Je n'ai aucun doute. Je suis sûre que c'est Neville qui a écrit ce mot.

— Et il a été posté aujourd'hui à Gravesend. Bien ! Madame Saint-Clair, votre ciel s'éclaire. Mais je ne prétends pas pour cela que tout risque soit écarté.

— Mais il doit être vivant, monsieur Holmes !

— A moins que nous ne nous trouvions en présence d'un faux habile destiné à nous lancer

34

sur une mauvaise piste. La chevalière ne prouve rien : on a pu la lui prendre.

— Non, non ! C'est, c'est, c'est sa propre écriture !

— Bon. Cependant, elle a pu être écrite lundi par votre mari et postée seulement aujourd'hui.

— C'est possible.

— Dans ce cas, beaucoup de choses ont pu se produire entre lundi et jeudi.

— Oh ! vous ne devriez pas me décourager, monsieur Holmes ! Je suis certaine qu'il est sain et sauf. Nous étions si attachés l'un à l'autre que je saurais si un malheur lui était arrivé. Pensez donc ! le jour même où je l'ai vu pour la dernière fois, il s'est coupé dans la chambre ; et moi, qui étais dans la salle à manger, je me suis précipitée en haut : j'étais sûre qu'il s'était fait mal ! Croyez-vous que j'aurais été sensible pour une si petite chose et que je ne sentirais pas sa mort ?

— J'ai trop d'expérience pour ne pas savoir que l'intuition d'une femme peut s'avérer beaucoup plus valable que les conclusions d'un raisonneur qui procède par analyse... Et cette lettre constitue évidemment une confirmation de vos sentiments. Mais si votre mari est en vie et capable d'écrire des lettres, pourquoi ne reprend-il pas sa place dans votre foyer ?

— Je ne peux pas imaginer pourquoi. C'est incroyable.

— Et lundi, il ne vous a rien dit de particulier en vous quittant ?

— Non.

— Et vous avez été stupéfaite de l'apercevoir dans Swandam Lane ?

— Stupéfaite, oui !

— La fenêtre était-elle ouverte ?

— Oui.

— Donc, il aurait pu vous appeler ?

— Oui.

— Si j'ai bien compris, il n'a poussé qu'un cri inarticulé ?

— Oui.

— Un appel au secours, vous avez cru ?

— Oui. Il faisait des signes avec ses mains.

— Mais son cri aurait pu être provoqué par la surprise. L'étonnement qu'il a éprouvé à vous voir aurait pu lui faire lever les mains en l'air.

— C'est possible.

— Et vous avez cru qu'il avait été happé par-derrière ?

— Il a disparu si subitement !

— Il a pu reculer d'un bond. Vous n'avez vu personne d'autre dans la pièce ?

— Non, mais ce monstre a avoué qu'il y était, et le patron était au bas de l'escalier.

— Exact ! Votre mari, pour autant que vous avez pu l'observer, portait ses vêtements habituels ?

— Sauf son col et sa cravate. J'ai vu distinctement son cou.

— Vous avait-il déjà parlé de Swandam Lane ?

— Jamais.

— Vous avait-il parfois donné l'impression qu'il prenait de l'opium ?

36

— Jamais !

— Merci, madame Saint-Clair. C'était les points principaux sur lesquels je désirais être éclairé avec précision. Nous allons maintenant manger quelque chose, puis nous reposer, car il se peut que nous ayons demain une très rude journée.

Une chambre à deux lits, spacieuse et confortable, avait été mise à notre disposition. Je ne fus pas long à me glisser dans les draps, car ma nuit d'aventures m'avait fatigué. Sherlock Holmes, lui, quand il avait un problème à résoudre, pouvait demeurer des jours entiers, et même une semaine sans se reposer : il tournait et retournait les faits dans sa tête, les examinait sous tous les angles jusqu'à ce qu'il eût bien approfondi le mystère, à moins qu'il ne trouvât insuffisants ses renseignements. En tout cas, il me parut disposé, cette nuit-là, à ne pas se coucher. Il retira sa veste et son gilet, enfila une longue robe de chambre bleue, puis se mit en mesure de construire avec les oreillers de son lit et les coussins du canapé une sorte de divan oriental, au sommet duquel il se percha, jambes repliées ; il n'avait pas oublié de placer devant lui un paquet de tabac fort et une boîte d'allumettes. À la faible lumière de la lampe, je le vis assis là-haut, une vieille pipe de bruyère entre les dents, contemplant d'un regard vide un coin du plafond ; la fumée bleue dessinait ses orbes paisibles ; il était aussi immobile que silencieux ; ses traits aquilins, bien accusés, se dessinaient sur le mur dans une ombre gigantesque. Ce fut sur ce tableau que je sombrai dans le sommeil.

Et quand un vague grognement me réveilla, le même spectacle s'offrit à mes yeux : le soleil de l'été brillait, la pipe tenait toujours entre les dents de Sherlock Holmes, la fumée continuait de dessiner ses orbes régulières, la chambre était remplie d'un épais brouillard de tabac, et le paquet était vide.

— Réveillé, Watson ? demanda-t-il.

— Oui.

— En forme pour une promenade matinale en voiture ?

— Certainement.

— Alors, habillez-vous. Personne n'est encore debout, mais je sais où dort le valet d'écurie, et nous serons bientôt dehors : en voiture, Watson !

Il gloussait littéralement en parlant. Ses yeux étincelaient. Il ne ressemblait plus du tout au sombre penseur de la veille.

Je regardai l'heure. Rien d'étonnant à ce que personne ne fût debout ; il était quatre heures vingt-cinq ! Je finissais de m'habiller quand Holmes revint avec la nouvelle que le valet d'écurie attelait le cheval.

— Je vais mettre à l'épreuve une de mes petites théories, dit-il en laçant ses souliers. Je crois, Watson, que vous avez pour ami l'un des fous les plus authentiques d'Europe. Mais je crois aussi que je détiens la clé de l'énigme, à présent.

— Et où se trouvait-elle ? demandai-je en souriant.

— Dans la salle de bains, répondit-il. Non, non, je ne plaisante pas ! poursuivit-il devant

mon regard incrédule. Je viens d'y aller, je l'ai trouvée, et je l'ai enfermée dans cette serviette. Venez, mon cher, nous allons voir si elle rentre bien dans la serrure.

Nous descendîmes rapidement et le soleil du matin nous accueillit. Sur la route nous attendaient le cheval et la charrette anglaise, sous la garde du valet d'écurie à peine éveillé. Nous prîmes la route de Londres, déjà encombrée de voitures portant à la grande ville son ravitaillement en fruits et légumes ; mais, de chaque côté de la route, les villas étaient aussi privées de vie qu'une cité de rêve.

— Par certains détails, c'est vraiment une affaire singulière, me dit Holmes en mettant le cheval au galop. Je reconnais que je n'y ai pas vu plus clair qu'une taupe, mais après tout, mieux vaut tard que jamais.

Dans Londres, les gens qui se levaient tôt commençaient tout juste à mettre le nez à la fenêtre ; nous traversâmes le pont de Waterloo, fonçâmes dans Wellington Street, tournâmes sur notre droite, et nous nous trouvâmes dans Bow Street. Sherlock Holmes était bien connu de la police ; à la porte, les deux agents de garde le saluèrent : l'un tint notre cheval par la bride, et l'autre nous introduisit.

— Qui est de service ? demanda Holmes.

— L'inspecteur Bradstreet, monsieur.

— Ah ! Bradstreet ! Comment allez-vous ?

Un officier de police, grand et fort, descendait par le couloir.

— Je voudrais vous dire un mot, Bradstreet.

— Mais certainement, monsieur Holmes. Passez dans mon bureau, je vous prie.

C'était un petit bureau, avec un registre sur la table et un appareil téléphonique mural. L'inspecteur s'assit devant le registre.

— Que puis-je pour vous, monsieur Holmes ?

— Je cherche quelque chose à propos de ce mendiant, Boone, celui qui est impliqué dans la disparition de M. Neville Saint-Clair, de Lee.

— Oui. Il nous a été amené ici, et il est en détention préventive en attendant la conclusion de l'enquête.

— C'est ce qu'on m'a dit. Vous l'avez ici ?

— En cellule, oui.

— Il est tranquille ?

— Oh ! il ne nous donne pas de mal. Mais c'est un répugnant personnage, ce coquin !

— Répugnant ?

— Oui : tout ce que nous pouvons obtenir de lui est qu'il se lave les mains, mais il a la figure plus noire qu'un charbonnier. Quand son affaire aura été réglée, on lui fera prendre un bon bain en prison ! Si vous voulez le voir, vous conviendrez avec moi qu'il l'aura bien mérité.

— Justement, je voudrais bien le voir.

— Vraiment ? Rien de plus facile ! Passez par là. Vous pouvez laisser ici votre serviette.

— Non. Je préfère la garder avec moi.

— Comme vous voudrez. Par là, s'il vous plaît.

Nous le suivions ; il ouvrit une porte verrouillée ; nous dégringolâmes un escalier en colimaçon, et nous débouchâmes dans un couloir blanchi à la chaux : de chaque côté s'alignaient les cellules.

— La sienne est la troisième sur notre droite, dit l'inspecteur. Celle-ci !

Il releva un panneau de bois sur la partie supérieure de la porte, et jeta un coup d'œil à l'intérieur.

— Il dort, dit-il. Vous pouvez le voir très bien.

Tous les deux, nous collâmes nos visages contre l'ouverture. Le prisonnier était allongé, le visage tourné vers nous, et il dormait ; son souffle était régulier et lourd. C'était un homme de taille moyenne, grossièrement vêtu comme le voulait son métier, une chemise de couleur dépassait par une déchirure de son pantalon. L'inspecteur avait raison : il était d'une malpropreté répugnante ; mais la crasse qui recouvrait sa figure ne pouvait dissimuler une laideur repoussante. La large zébrure d'une vieille cicatrice courait d'un œil au menton, et en contractant les chairs, elle avait relevé un côté de la lèvre supérieure : trois dents sortaient de la gencive. Une tignasse orange s'enracinait bas sur son front.

— Un Adonis, n'est-ce pas ? ironisa l'inspecteur.

— Il a certainement besoin d'une douche ! dit Holmes. J'avais dans la tête qu'un peu de toilette ne lui ferait pas de mal, et j'ai apporté avec moi les instruments nécessaires.

Il ouvrit sa serviette et en sortit, à ma grande surprise, une grosse éponge de bain.

— Ah ! ah ! s'esclaffa l'inspecteur. Vous êtes un rigolo, vous !

— Maintenant, si vous voulez avoir l'extrême obligeance d'ouvrir la porte sans faire de bruit, nous lui donnerons une allure beaucoup plus respectable.

— Après tout, je ne vois pas pourquoi je vous refuserais cela ! dit l'inspecteur. Il ne fait pas honneur aux cellules de Bow Street, hein ?

Il glissa la clé dans la serrure, et nous entrâmes sur la pointe des pieds. Le dormeur se tourna à demi, mais sombra de nouveau dans un lourd sommeil. Holmes prit la cruche d'eau, humecta l'éponge, et frotta vigoureusement le visage du prisonnier.

— Permettez-moi de vous présenter, s'écria-t-il, M. Neville Saint-Clair, de Lee, dans le comté de Kent !

De ma vie, je n'avais assité à pareil spectacle. Sous l'éponge, la figure de l'homme avait pelé comme l'écorce d'un tronc d'arbre. Disparue la crasse marron ! Disparue aussi l'horrible cicatrice qui s'étalait en travers ! Disparue, la lèvre tordue qui ornait le visage d'un sourire hideux ! Un coup sec de Holmes arracha la tignasse orange. Alors nous apparut, assis sur le lit, un homme blême, consterné, aux traits délicats, à la peau douce, aux cheveux noirs : il se frottait les yeux, et s'examinait avec stupéfaction. Réalisant soudain qu'il était découvert, il poussa un cri de terreur et cacha sa tête dans l'oreiller.

— Grand Dieu ! cria l'inspecteur. C'est bien l'homme qu'on recherche ! J'ai vu sa photographie.

Le prisonnier se retourna alors avec l'air désabusé de quelqu'un qui s'abandonne à son mauvais sort.

— Qu'il en soit donc ainsi ! dit-il. S'il vous plaît, quelle charge peut-on relever contre moi ?

— D'avoir fait disparaître M. Neville S... Oh ! allons, vous ne pouvez pas être accusé de cela, à moins que vous ne soyez accusé d'une tentative de suicide ! dit l'inspecteur en ricanant. Hé bien ! voilà vingt-sept ans que je suis dans la police ; mais ça, c'est le plus beau coup de ma carrière !

— Si je suis M. Neville Saint-Clair, il est évident qu'aucun crime n'a été commis, et que, par conséquent, je suis illégalement détenu.

— Aucun crime n'a été commis, dit Holmes, seulement une grande erreur. Vous auriez mieux fait de tout dire à votre femme !

— Mais il n'y a pas que ma femme : il y a mes enfants ! gémit le prisonnier. Dieu m'est témoin que je ne voulais pas qu'ils eussent à rougir de leur père. Mon Dieu ! quel scandale ! Que puis-je faire ?

Sherlock Holmes s'assit à côté de lui sur le lit, et posa gentiment sa main sur l'épaule de l'homme effondré.

— Si vous laissez à un tribunal le soin d'éclaircir l'affaire, dit-il, vous serez incapable d'éviter la publicité. Par contre, si vous parvenez à convaincre les autorités de la police qu'il ne peut être retenu contre vous aucune charge, je ne vois pas pour quelle raison les journaux ébruiteraient votre aventure. Je suis certain que l'inspecteur Bradstreet prendra en note tout ce que vous pourriez nous dire et le soumettra à ses propres supérieurs. Dans ce cas, l'affaire ne serait jamais inscrite au rôle d'un tribunal.

— Dieu vous bénisse ! s'écria avec passion le prisonnier. J'aurais supporté la prison et, oui, même l'exécution, plutôt que de laisser souiller l'honneur de mes enfants !

» Vous êtes les premiers qui connaîtrez toute mon histoire. Mon père était instituteur à Chesterfield, où je reçus une excellente éducation. Dans mon jeune âge, j'ai voyagé, j'ai tâté du théâtre ; finalement, je suis devenu journaliste dans un journal du soir de Londres. Un jour, mon rédacteur en chef a réclamé une série d'articles sur la mendicité à Londres. Je me suis proposé pour les rédiger. Là se situe le point de départ de mes aventures. N'était-ce pas en me déguisant en mendiant que je pouvais espérer réussir un bon reportage ? Quand j'avais joué au théâtre, j'avais, bien sûr, appris tous les

secrets du maquillage, et j'avais même acquis une certaine notoriété pour ma facilité à me déguiser. J'ai donc maquillé mon visage, et, afin de le rendre le plus pitoyable possible, j'ai simulé une grande cicatrice ; je l'ai fait partir d'un rebord de ma lèvre à l'aide d'un petit emplâtre de papier couleur chair. Puis avec une perruque rouge et un costume approprié, j'ai pris position à l'un des endroits les plus populeux de la City : officiellement comme vendeur d'allumettes, en réalité comme mendiant. Pendant sept heures, je me suis livré à mon petit commerce ; quand je suis rentré chez moi, j'ai découvert, à ma grande surprise, que je n'avais pas reçu moins de vingt-six shillings et quatre pence.

» J'ai écrit mes articles. Je ne pensais plus à cette histoire, je vous assure, lorsque je reçus pour un ami une sommation : il devait vingt-cinq livres, et le billet m'était adressé. Je ne savais quoi faire pour le dépanner, puis une idée s'empara de moi. J'obtins du créancier une remise d'une quinzaine, je pris mes vacances au journal, et je passai mon temps à mendier, déguisé, dans la City. En dix jours, j'avais récolté l'argent, et payé ma dette.

» Imaginez à présent combien il me fut pénible de me remettre à un travail fatigant pour deux livres par semaine, alors que je savais pouvoir gagner ces deux livres par jour rien qu'en me maquillant et en plaçant ma casquette à mes pieds. Un combat s'engagea entre l'argent et mon orgueil : l'argent finalement l'emporta. Je renonçai donc au journalisme, et chaque jour je vins m'asseoir dans le coin que j'avais choisi la première fois ; j'inspirais pitié avec mon visage hideux, et je remplissais mes poches de petite monnaie. Un seul homme connut mon secret : le tenancier d'une taverne où je louai un appartement dans Swandam Lane ; j'en émergeais tous les matins déguisé en mendiant ; le soir, je me rhabillais en gentleman distingué. Cet homme, un truand, était grassement rétribué pour les pièces que j'occupais chez lui : j'étais donc sûr qu'il ne trahirait pas mon secret.

» Au bout d'un certain temps, je m'aperçus que j'étais en train d'amasser des sommes considérables. Je ne veux pas dire par là que n'importe quel mendiant de Londres gagne dans son année sept cents livres, ce qui est en dessous de la moyenne de mes gains. Mais moi, j'avais un avantage considérable ; je savais très bien me maquiller. D'autre part l'esprit de repartie ne me faisait pas défaut : à l'usage, il s'améliora encore ; dans la City, je devins un type qui faisait partie du décor. Toute la journée, une pluie de petite monnaie tombait dans ma casquette : quand je ne me faisais pas mes deux livres, c'était une très mauvaise journée.

» M'enrichissant, je pris de l'ambition ; j'achetai une maison dans les environs, puis je me mariai : personne ne soupçonna jamais la nature de mes réelles occupations. Ma chère femme savait que je travaillais dans la City ; pas davantage.

» Lundi dernier, j'avais fini de bonne heure ;

j'étais en train de me rhabiller au-dessus de la taverne quand je regardai par la fenêtre. A ma stupéfaction et à mon désespoir, j'aperçus dans la rue ma femme qui me regardait fixement. Je poussai un cri de surprise, enfouis mon visage dans mes mains pour le cacher et me précipitai chez le patron, mon confident, pour lui enjoindre de ne laisser monter personne. J'entendis sa voix en bas, mais j'étais sûr qu'on ne lui

permettrait pas de monter. En toute hâte, je retirai mes affaires décentes, repris mon déguisement de mendiant avec ma perruque et mes haillons. Même les yeux d'une femme amoureuse n'auraient pu me reconnaître. Mais je réfléchis soudain qu'on pourrait venir enquêter dans cette chambre et que mon costume me trahirait. J'ouvris la fenêtre, et si violemment qu'une légère coupure que je m'étais faite le matin même chez moi se remit à saigner. Je saisis mon costume ; il était alourdi par toute la menue monnaie que j'avais récoltée dans la journée. Je le lançai au-dehors et il disparut dans la Tamise. Le reste de mes affaires aurait suivi le même chemin si les policiers n'étaient arrivés : quelques minutes plus tard, on m'apprit que j'étais un assassin ; cela me fit moins de chagrin que si on m'avait identifié comme M. Neville Saint-Clair.

» Je ne crois pas que j'aie autre chose à dire. j'étais résolu à conserver mon déguisement aussi longtemps que possible, d'où mon entêtement à ne pas me laver le visage. Mais je savais que ma femme devait être terriblement inquiète, j'avais retiré ma bague et je l'avais remise au patron avant que je fusse placé sous surveillance. Je lui avais donné également un gribouillis pour l'avertir qu'elle n'avait rien à redouter.

— Cette lettre lui est parvenue seulement hier, dit Holmes.

— Mon Dieu ! Quelle semaine elle a dû passer !

— La police filait le patron, dit l'inspecteur Bradstreet. Aussi, je ne m'étonne pas qu'il ait tant tardé à jeter une lettre à la poste sans être vu. Il l'a sans doute remise à un habitué qui l'a oubliée dans sa poche quelques jours.

— Sûrement! fit Holmes. Mais n'avez-vous jamais été poursuivi pour mendicité?

— Plusieurs fois. Mais que m'importait une amende, à moi?

— Maintenant, en voilà assez! dit Bradstreet. Si la police étouffe l'affaire, il faudra qu'il n'y ait plus de Hugh Boone.

— Je le jure, par les serments les plus solennels qu'un homme puisse prêter!

— Dans ce cas, je pense que l'affaire pourra être classée. Mais si vous êtes pris en défaut, alors c'est tout qui sortira... Monsieur Holmes, nous vous sommes très reconnaissants de nous avoir donné un fameux coup de main. Mais j'avoue que j'aimerais bien savoir comment vous êtes parvenu à ce résultat.

— Uniquement, répondit Sherlock Holmes, parce que j'ai passé la nuit assis sur cinq oreillers en fumant un paquet entier de tabac. Je vous recommande cette méthode... M'est avis, Watson, que si nous nous faisons conduire à Baker Street, nous arriverons juste à temps pour le petit déjeuner.

# L'ESCARBOUCLE BLEUE

Le surlendemain de Noël, dès le matin, je m'étais rendu chez mon ami Sherlock Holmes pour lui offrir mes vœux. Je le trouvai paresseusement étalé sur le canapé : drapé dans une robe de chambre cramoisie, il avait à portée de la main droite son râtelier à pipes ; à portée de la gauche un tas de journaux du matin suffisamment froissés pour révéler qu'ils venaient d'être attentivement dépouillés. A côté du canapé, il y avait une chaise en bois ; accroché à un angle du dossier pendait un chapeau. C'était un chapeau de feutre minable, râpé, importable ; fendillé, de surcroît, par endroits. Une loupe et une pince, posées sur le siège de la chaise, indiquaient qu'il avait été placé là pour subir un examen sérieux.

— Vous êtes en train de travailler, dis-je. Et je vous dérange...

— Pas le moins du monde. Je suis heureux

au contraire d'avoir un ami avec qui je pourrai discuter. Vous voyez cette matière première... (Il me désigna du pouce le vieux chapeau.) Elle n'a rien d'extraordinaire. Pourtant elle se rapporte à quelque chose qui n'est pas entièrement dépourvu d'intérêt, et qui est même instructif.

Je m'assis sur son fauteuil et me penchai vers le feu pour me réchauffer les mains : dehors en effet un froid vif avait fait son apparition ; les vitres étaient recouvertes d'une épaise couche de cristaux de glace.

— Je suppose, vu l'état où je vois ce chapeau, qu'il a été mêlé à quelque crime, et qu'il est l'indice qui vous mettra en mesure de punir l'assassin.

Sherlock Holmes éclata de rire :

— Non, non ! Pas de crime ! répondit-il. Il s'agit seulement de l'un de ces innombrables incidents baroques qui ne manquent pas de se produire quand vous avez quatre millions d'êtres humains qui se bousculent à l'intérieur de quelques kilomètres carrés. Au sein des actions et des réactions d'un tel essaim d'humanité, il faut s'attendre à n'importe quelles combinaisons d'événements : d'où des petits problèmes, bizarres et passionnants, mais pas forcément criminels. Nous en avons déjà fait l'expérience plus d'une fois.

— Tellement, observai-je, que sur les six dernières affaires, trois étaient parfaitement exemptes de crime, aux yeux de la loi.

— C'est vrai : il y a eu ma tentative pour récupérer les papiers d'Irène Adler, le cas singulier de M$^{lle}$ Mary Sutherland, et l'histoire

de l'homme à la lèvre tordue. Hé bien ! j'ai l'impression que l'affaire dont je m'occupe aujourd'hui appartient à cette catégorie innocente. Vous connaissez Peterson, le commissionnaire ?

— Oui.

— C'est à lui qu'appartient ce trophée.

— C'est son chapeau ?

— Non : il l'a trouvé. Son propriétaire est inconnu. Je vous prie de bien vouloir considérer ce chapeau non comme un melon cabossé, mais comme un problème intellectuel. Mais d'abord que je vous explique comment il est arrivé ici. Il est arrivé ici le matin de Noël, en compagnie d'une oie bien grasse qui est certainement, à l'heure où je parle, à la broche devant le feu de Peterson. Quant aux faits, les voici. Vers quatre heures du matin, dans la nuit du réveillon, Peterson, qui est comme vous le savez l'honnêteté personnifiée, rentrait chez lui au sortir d'une petite fête ; il descendait Tottenham Court Road. Devant lui marchait, il l'aperçut à la lueur d'un réverbère, un homme assez grand, qui titubait légèrement, et qui transportait une oie blanche, laquelle se balançait délicatement par-dessus son épaule. Au coin de Goodge Street, voilà l'homme abordé par une petite bande de voyous, et une rixe s'engage. L'un des voyous lui arrache son chapeau, qui roule à terre ; l'homme brandit sa canne pour se défendre, mais en faisant des moulinets il fracasse la devanture d'un magasin derrière lui. Peterson se met à courir pour protéger l'inconnu contre ses agresseurs ; mais que fait l'inconnu ? Probablement affolé parce qu'il a cassé les vitres d'une devanture et qu'il voit s'approcher une personne en uniforme (de loin, Peterson fait très officiel), il laisse tomber l'oie, prend ses jambes à son cou, et disparaît dans le dédale des petites rues autour de Tottenham Court Road. Les voyous se sont égaillés dès qu'ils ont aperçu Peterson. Celui-ci est donc maître du champ de bataille ; il ramasse les dépouilles qui gisent sur le sol : ce chapeau bosselé et une oie de Noël, beaucoup plus respectable.

— Il a sûrement restitué l'oie à son propriétaire ?

— Cher ami, nous touchons là au problème

capital. Sur la patte gauche de l'animal, il y avait bien attaché une carte de petite taille, et il y était écrit : « Pour M^{me} Henry Baker. » Il est non moins exact que les initiales « H. B. » sont parfaitement lisibles sur la coiffe de ce chapeau. Mais dans une ville comme la nôtre, il existe des milliers de Baker, parmi lesquels plusieurs centaines de Henry Baker : aussi n'est-il pas facile de restituer à l'un d'entre eux ce qui lui appartient.

— Alors qu'a fait Peterson ?

— Le matin de Noël, il m'a apporté à la fois le chapeau et l'oie. C'était l'hommage d'un connaisseur à ma manie des devinettes. Nous avons gardé l'oie jusqu'à ce matin. Des signes indiscutables étant apparus qui indiquaient qu'en dépit du froid l'oie devait être mangée dans les délais les plus brefs, celui qui l'avait trouvée l'a emmenée, afin que s'accomplît le destin de cette malheureuse. Et moi, j'ai conservé le chapeau du gentleman inconnu qui a perdu son déjeuner de Noël.

— Il ne s'est pas manifesté par une annonce dans les journaux ?

— Non.

— Bon. Dans ce cas, comment pourrez-vous l'identifier ?

— Par ce que nous pourrons déduire...

— De quoi ? de ce chapeau ?

— Exactement.

— Vous plaisantez ! De ce vieux chapeau hors d'usage, que prétendez-vous déduire ?

— Voici ma loupe. Vous connaissez mes méthodes. Procédez vous-même. Dites-moi ce que vous êtes capable de déduire relativement à la personnalité d'un homme qui portait sur la tête un tel objet.

Je pris en main l'objet. Il était crasseux. De mauvaise grâce, je le tournai et le retournai... Quoi ! c'était un très ordinaire chapeau melon, noir comme sont les chapeaux melons, rond comme sont les chapeaux melons, et dur comme sont les chapeaux melons ! Pratiquement importable. La coiffe avait été de soie rouge : autrefois ! A présent elle était d'une teinte indéfinissable. Le chapelier n'avait pas gravé son nom sur ce chef-d'œuvre. Mais, comme Holmes l'avait déjà remarqué, les initiales « H. B. » étaient griffonnées sur un côté. Le bord était percé, comme pour une sorte de jugulaire, mais l'élastique n'y était pas. Pour le reste, il était fendu, sale, taché par endroits ; il me sembla néanmoins apercevoir les traces de quelques vaines tentatives pour dissimuler ces souillures sous de l'encre noire.

— Je regrette, dis-je en rendant le chapeau à mon ami, mais je ne vois rien.

— Pas du tout, Watson ! Vous voyez tout. Mais vous ne parvenez pas à raisonner à partir de ce que vous voyez. Votre timidité à tirer des conclusions vous perdra !

— Soit ! Alors dites-moi, je vous prie, quelles conclusions je peux tirer de ce chapeau...

Il le leva à bout de bras, et le contempla avec le sérieux qui était dans sa manière :

— Il n'est peut-être pas très évocateur, commença-t-il. Pourtant il indique un certain nombre de choses très précises, et quelques autres que je classerai dans la catégorie des éléments de forte probabilité. D'après la surface frontale, son propriétaire est un intellectuel. Et alors qu'il était très à l'aise ces trois dernières années, il a mangé récemment de la vache enragée. On peut dire aussi de lui qu'il avait le don de la prévoyance : moins à présent toutefois que jadis ; perte imputable, sans doute, à une certaine dégénérescence morale qui, jointe à des revers de fortune, paraît due elle-même à une influence détestable : la boisson, évidemment. Et ceci serait la justification du fait non moins évident que sa femme ne l'aime plus.

— Cher Holmes !...

— Cependant cet homme n'a pas perdu tout respect de soi-même, poursuivit Sherlock Holmes sans se soucier de mon interruption ironique. Nous nous trouvons en présence d'un gentleman qui mène une existence sédentaire, qui sort peu, qui n'est plus en bonne forme physique, qui est entre deux âges, et dont les cheveux grisonnent... Pour les cheveux, il les a fait couper ces jours-ci, et il les discipline d'habitude avec du cosmétique. Voilà les faits les plus indubitables que ce chapeau permet de déduire. Ah ! j'oubliais : il est extrêmement improbable qu'il habite une maison où le gaz soit installé.

— Vous êtes en train de vous moquer de moi !

— Mais non ! Est-il possible que, maintenant que je vous ai communiqué ces déductions, vous ne voyez pas comment j'y suis parvenu ?

— Evidemment, je ne suis pas très intelligent! Ceci dit, je m'avoue incapable de vous suivre. Par exemple, comment en êtes-vous venu à savoir que cet homme était un intellectuel?

Pour toute réponse, Holmes se coiffa du chapeau : il lui retomba sur les yeux.

— Question de capacité cubique! fit-il. Un homme doué d'un tel cerveau a certainement quelque chose dedans.

— Ses revers de fortune?

— Ce chapeau date de trois ans. C'était alors la mode de ces bords plats roulés à l'extrémité. Mais la qualité en est excellente. Regardez la bande de soie côtelée, et la doublure! Si cet homme a pu s'acheter il y a trois ans un chapeau aussi cher, et s'il n'a pas pu s'en offrir un autre depuis, c'est qu'il a certainement subi quelque revers de fortune.

— Bon. J'admets que cela soit assez valable. Mais ce don de prévoyance, et cette dégénérescence morale?

Sherlock Holmes se mit à rire.

— Voici pour le don de prévoyance! dit-il en posant son doigt sur le petit disque et le trou pour la jugulaire. On ne vend jamais de chapeaux munis de ces accessoires. Si cet homme les a commandés, c'est qu'il n'était pas doué d'imprévoyance, puisqu'il a songé au vent qui pouvait le décoiffer. Mais puisque nous voyons qu'il a cassé l'élastique et qu'il ne l'a pas remplacé, il est donc probable qu'il est devenu imprévoyant : ce qui indiquerait un caractère en voie d'affaiblissement. Par ailleurs, il s'est efforcé de camoufler quelques taches sur le feutre en les enduisant d'encre : il n'a donc pas tout à fait perdu le respect de soi-même.

— Votre logique est évidemment plausible…

— Quant aux autres points, qu'il est entre deux âges, qu'il grisonne, qu'il s'est récemment fait couper les cheveux, et qu'il utilise du cosmétique, je les ai déduits en examinant de près la partie inférieure de la doublure. Ma loupe m'a permis de découvrir un grand nombre de petits cheveux, qui provenaient de la coupe récente d'un coiffeur. Ils sont assez collants et sentent distinctement le cosmétique. Maintenant, observez cette poussière : ce n'est pas la poussière grise, avec des petites parcelles

60

de sable, de la rue ; c'est de la poussière d'appartement floue et brune. Donc ce chapeau reste accroché au porte-manteau la plupart du temps. Tandis que ces traces d'humidité moisissante à l'intérieur constituent la preuve positive que l'homme qui se coiffe de ce couvre-chef transpire beaucoup et n'est pas, par conséquent, au mieux de sa forme physique.

— Mais sa femme ? Vous disiez qu'elle a cessé de l'aimer ?

— Ce chapeau n'a pas été brossé depuis longtemps. Quand je vous verrai arriver, mon cher Watson, avec la poussière de toute une semaine accumulée sur votre chapeau, je me dirai que, puisque votre femme vous laisse sortir dans une tenue aussi... négligée, vous avez eu la malchance de perdre son affection.

— Mais il pourrait s'agir d'un célibataire !

— Mais non, puisqu'il rapportait chez lui une oie pour faire la paix avec sa femme. Rappelez-vous la carte sur la patte de l'animal.

— Vous avez réponse à tout. Mais comment diable avez-vous pu inférer qu'il vivait dans une maison sans gaz ?

— Le hasard peut provoquer une, voire deux taches de suif. Mais quand je n'en compte pas moins de cinq, je pense qu'il y a beaucoup de chances pour que l'individu en question soit en contact fréquent avec du suif en combustion : mettons qu'il grimpe des escaliers avec le chapeau dans une main et un bougeoir dans l'autre. De toute façon, ce n'est pas avec un tuyau de gaz qu'il se tachera de suif ! Etes-vous content ?

— Ma foi, c'est assez ingénieux ! dis-je en

riant. Mais enfin, puisque aucun crime n'a été commis, et que le malheur se résume à la perte d'une oie, ne pensez-vous pas que vous vous livrez à une dépense inconsidérée d'énergie ?

Sherlock Holmes avait ouvert la bouche pour me répondre, mais la porte s'ouvrit brusquement, et Peterson, le commissionnaire, fit irruption dans la pièce : il avait les joues rouges, et tout son visage trahissait la stupéfaction la plus imprévue.

— L'oie, monsieur Holmes ! L'oie, monsieur ! bégaya-t-il.

— Hé bien ! Qu'est-ce qui se passe avec l'oie ? Est-elle ressuscitée ? S'est-elle envolée par la fenêtre ?

Holmes se pelotonna sur le divan pour mieux contempler la figure bouleversée de l'homme.

— Regardez, monsieur ! Regardez, monsieur, ce que ma femme a trouvé dans son jabot !

Il étendit le bras et ouvrit sa main : sur la paume étincelait une pierre bleue, un peu plus petite qu'un haricot, mais d'une telle pureté et d'un éclat si vif qu'elle ressemblait à une ampoule électrique.

Sherlock Holmes siffla d'admiration :

— Bon Dieu ! s'exclama-t-il. Mais c'est un trésor, Peterson ! Je suppose que vous savez ce que c'est ?

— Un diamant, monsieur ! Une pierre précieuse ! Ça coupe le verre comme si le verre était de la pâte à mastic...

— C'est mieux qu'une pierre précieuse. C'est *la* pierre précieuse.

— Ne serait-ce pas l'escarboucle bleue de la comtesse de Morcar? murmurai-je.

— Si. Je connais sa taille et sa forme, puisque j'ai lu l'annonce qui paraît tous les jours dans le *Times* à son sujet. C'est un joyau absolument unique, sans prix! La récompense d'un millier de livres qui a été offerte ne représente guère que le vingtième de sa valeur sur le marché.

— Un millier de livres! Dieu me pardonne!...

Le commissionnaire s'effondra dans un fauteuil et nous fixa tous les deux d'un regard ahuri.

— Un millier de livres comme récompense, oui. Mais j'ai de bonnes raisons pour croire que certaines considérations sentimentales, à l'arrière-plan, pourraient inciter la comtesse à donner la moitié de sa fortune à celui qui lui ferait retrouver ce joyau.

— Il avait été perdu, si je me souviens bien, à l'Hôtel Cosmopolitain? dis-je.

— Oui. Le 22 décembre, voici juste cinq jours. John Horner, un plombier, a été accusé de l'avoir dérobé dans le coffret à bijoux de la dame. Les présomptions contre lui étaient si fortes que l'affaire passera aux assises. J'ai par ici des renseignements...

Il fouilla dans ses journaux, cherchant parmi les dates, et finalement en prit un, le déplia pour nous lire l'article suivant :

« Un vol de bijoux à l'Hôtel Cosmopolitain. John Horner, plombier, vingt-six ans, a été cité en justice sous l'inculpation d'avoir, le 22 courant, dérobé dans le coffret à bijoux de la comtesse de Morcar le joyau connu dans le monde entier sous le nom de « l'escarboucle bleue ». James Ryder, chef du personnel de l'hôtel, a témoigné qu'il avait indiqué à Horner le cabinet de toilette de la comtesse de Morcar le jour même du vol, afin que le plombier puisse resceller le deuxième barreau de la fenêtre, qui était branlant. Il était demeuré quelque temps auprès de Horner, mais il avait été appelé ailleurs. A son retour, Horner avait disparu. Mais le bureau avait été forcé, et sur la coiffeuse était placé, ouvert et vide, le petit coffret en cuir dans lequel, comme on l'apprit ultérieurement, la comtesse rangeait habituellement ses bijoux. Ryder donna aussitôt l'alerte. Horner a été arrêté le soir même. Mais le joyau n'a été retrouvé ni sur lui ni dans son appartement. Catherine Cusack, femme de chambre attachée à la comtesse, a déposé qu'elle avait entendu le cri poussé par Ryder quand il découvrit le vol, et qu'elle s'était précipitée dans le cabinet de toilette, où elle avait trouvé les choses dans l'état décrit par le témoin. L'inspecteur Bradstreet, de la Section B, a apporté son témoignage au sujet de l'arrestation de Horner, qui se débattit comme un forcené et protesta de son innocence dans les termes les plus vifs. Le dossier du prévenu contenant déjà une inculpation pour vol, le magistrat a refusé de tenir compte des outrages à la force publique, mais il l'a renvoyé devant les assises. Horner, qui avait montré les signes d'une émotion intense dès le début de l'audience, tomba évanoui quand il entendit le verdict et dut être transporté hors du prétoire. »

— Hum ! Tant pis pour le tribunal, dit pensivement Holmes en faisant une boule du journal

dont il venait de nous donner lecture. Nous nous trouvons en face du problème suivant : retrouver l'enchaînement des circonstances qui débutent par le cambriolage d'un coffret à bijoux pour se terminer dans le jabot d'une oie du côté de Tottenham Court Road. Voyez un peu, Watson, comme mes petites déductions se revêtent subitement d'une majesté beaucoup moins futile que tout à l'heure ! Voici la pierre. La pierre est venue d'une oie. Et l'oie est venue de M. Henry Baker, ce gentleman au chapeau doté de toutes les caractéristiques que nous avons énumérées. Donc nous devons nous mettre sérieusement en campagne pour retrouver le gentleman en question et lui faire préciser son rôle. Dans ce but, il nous faut d'abord utiliser les moyens les plus simples : incontestablement, une annonce dans les journaux du soir est le meilleur. En cas d'échec, nous aurons recours à d'autres méthodes.

— Comment rédigerez-vous l'annonce ?

— Passez-moi un crayon et du papier. Voyons... « Trouvés au coin de Goodge Street une oie et un chapeau melon noir. M. Henry Baker peut les récupérer en se rendant ce soir, à 18 h 30 au 221 b, Baker Street. » Voilà qui est clair et concis.

— Bon. Mais cette annonce, la verra-t-il ?

— Oh ! il jettera sans doute un œil sur les journaux ! Pour un homme pauvre, cette perte est d'importance. Il était sûrement si déconcerté par sa malchance quand il a cassé les vitres de la devanture et par l'arrivée de Peterson qu'il n'a pensé qu'à fuir. Mais, depuis, il doit amèrement regretter la réaction qui l'a obligé à lâcher l'animal ! Par ailleurs, la publicité faite autour de son nom le forcera en quelque sorte à lire l'annonce, car celle-ci sera lue par tous ceux qui le connaissent, et il sera averti. Tenez, Peterson, foncez à l'agence de publicité ; il faut que ceci paraisse dans les journaux du soir !

— Lesquels, monsieur ?

— Oh ! dans le *Globe,* le *Star,* le *Pall Mall,* la *Saint-James's Gazette,* les *Evening News,* le

*Standard,* l'*Echo,* et les autres qui vous vien-
dront à l'idée.

— Bien, monsieur. Et pour cette pierre ?

— Ah ! la pierre ? Ma foi, je la garde ! Merci.
Ah ! Peterson, en revenant, achetez donc une
oie ! Il faudra bien que nous en ayons une à
rendre au gentleman, à la place de celle que
votre famille est en train dc déguster.

Quand le commissionnaire nous eut quittés,
Holmes prit la pierre et l'éleva à la lumière :

— Quelle jolie chose ! dit-il. Voyez comme
elle brille, comme elle étincelle ! Evidemment,
elle est le noyau, le foyer d'un crime : comme
toutes les belles pierres ! Les belles pierres sont
les appâts favoris du diable. Dans les joyaux
plus gros et plus anciens, chaque facette pourrait figurer un crime. Cette pierre-ci n'a pas plus
de vingt ans. Elle a été trouvée dans la Chine du
Sud, sur le rivage du fleuve Amoy. Ce qui la
rend remarquable, c'est qu'elle offre toutes les
caractéristiques de l'escarboucle, avec cette
différence qu'elle est bleue, alors que l'escarboucle est rouge rubis. Déjà, en dépit de son
jeune âge, elle possède une histoire sinistre.
Songez que pour l'amour de ce charbon de deux
grammes cinquante, deux meurtres, un jet de
vitriol, un suicide et plusieurs cambriolages ont
été commis. Qui pourrait penser qu'un objet si
délicat soit un pourvoyeur de bagne et d'écha-
faud ? Je vais l'enfermer dans mon coffre-fort,
et écrire à la comtesse pour l'informer que sa
pierre est en ma possession.

— Croyez-vous à l'innocence de Horner ?

— Je n'en sais rien encore.

— Alors vous pensez que cet autre gentle-man, Henry Baker, a quelque chose à voir dans cette affaire ?

— A mon avis, il est probable que Henry Baker est tout à fait hors du coup, et qu'il ignorait absolument que l'oie qu'il transportait avait une valeur beaucoup plus élevée que si ç'avait été une oie d'or. Je le déterminerai d'ailleurs par un test très simple, pour peu que nous ayons une réponse à nos annonces.

— Vous ne pouvez rien faire d'ici là ?

— Rien.

— Dans ce cas, moi, je vais reprendre ma tournée professionnelle. Mais je serai de retour ce soir à l'heure indiquée, parce que j'aimerais bien avoir la clé d'une énigme aussi bizarre !

— Venez, bien sûr ! Je dînerai à sept heures, et je crois qu'il y aura une bécasse. Dites, Watson, étant donné les événements, je devrais peut-être prier M$^{me}$ Hudson d'examiner le jabot de cette autre petite bête ?...

Un malade me retint un peu plus que je ne l'aurais voulu. Il était six heures et demie bien passées quand je me retrouvai dans Baker Street. Approchant de la maison, je vis un homme de haute taille, coiffé d'un béret écossais et vêtu d'un manteau boutonné jusqu'au menton, qui attendait dans le demi-cercle lumineux projeté dans la rue par le vasistas. Comme j'arrivais, la porte s'ouvrit et nous montâmes ensemble à l'appartement de Holmes.

— M. Henry Baker, je suppose ? dit Sherlock Holmes en s'extrayant de son fauteuil pour accueillir son visiteur avec l'exquise urbanité qu'il savait si bien témoigner. Je vous en prie, monsieur Baker, asseyez-vous près de ce feu. La soirée est bien froide, et je remarque que votre circulation sanguine est de celles qui supportent mieux l'été que l'hiver. Ah! Watson, vous êtes arrivé juste à temps. Ceci est-il votre chapeau, monsieur Baker?

— Oui, monsieur. Incontestablement, c'est bien mon chapeau.

M. Baker était un homme corpulent; il avait les épaules arrondies, une tête massive, et son visage intelligent se terminait par une barbe en pointe d'un brun grisonnant. Sur le nez et aux joues, des taches de rouge et un léger tremblement de ses mains me rappelèrent les déduc-

tions de Holmes. Sa redingote d'un noir rouilleux était boutonnée jusqu'au dernier bouton, et le col était relevé. Ses poignets sortaient des manches sans trace de manchettes ni de chemise. Il s'exprimait d'une voix saccadée, choisissait ses mots avec soin, donnait pour tout dire l'impression d'un homme instruit et même cultivé que la chance avait maltraité.

— Nous avons conservé ces objets quelque temps, expliqua Holmes, car nous nous attendions à voir une annonce qui nous aurait communiqué votre adresse. Je voudrais bien savoir pourquoi vous n'avez rien publié dans les journaux.

Notre visiteur eut un petit rire plutôt gêné.

— L'argent s'est fait pour moi assez rare, dit-il. J'étais persuadé que les voyous qui m'avaient attaqué s'étaient emparés aussi bien de mon chapeau que de l'oie. Et je ne me souciais guère d'effectuer une dépense supplémentaire pour rien.

— C'est fort naturel. Mais, en ce qui concerne l'oie, j'ai le regret de vous annoncer que nous avons dû la manger.

— La manger !

Notre visiteur se souleva de sa chaise, bouleversé.

— Oui. Si nous ne l'avions pas mangée, personne n'aurait pu en profiter. Mais j'imagine que cette autre oie, qui est approximativement de la même taille et qui a le mérite d'être d'une fraîcheur sans reproche, fera aussi bien votre affaire ?

— Oh ! certainement, certainement ! répondit M. Baker, en laissant échapper un soupir de soulagement.

— Bien entendu, nous tenons à votre disposition les plumes, les pattes, le jabot et autres accessoires de votre propre oie... Si vous les désirez...

L'homme rit de bon cœur :

— Ils ne me seraient utile qu'en tant que souvenirs de son odyssée, dit-il. Je ne vois guère à quoi me serviraient les *disjecta membra* de ma récente acquisition... Non, monsieur, je crois que, avec votre permission, je limiterai mon attention à ce magnifique volatile que j'aperçois sur le buffet.

Sherlock Holmes me lança un coup d'œil et haussa légèrement les épaules.

— Voici donc votre chapeau et votre oie, dit-il. Mais est-ce que je ne serais pas indiscret si je vous demandais où vous vous êtes procuré cet animal ? Je suis un grand amateur d'oies, et j'en ai rarement mangé d'aussi bonne.

— Il n'y a aucune indiscrétion, répondit Baker, qui s'était levé et avait pris sous son bras les deux objets. Nous sommes quelques-uns qui fréquentons l'Auberge Alpha près du Museum ; c'est-à-dire que nous travaillons au Museum même, pendant la journée. Cette année, notre brave tenancier, qui s'appelle Windigate, a organisé une sorte de club ; moyennant une très petite somme chaque semaine, nous devions tous avoir droit à une oie pour Noël. J'avais régulièrement payé cette petite somme. Vous savez le reste. Je vous suis infiniment reconnaissant, monsieur, car un béret écossais convient aussi mal à mon âge qu'à ma fonction.

Il s'inclina cérémonieusement devant nous et s'en alla visiblement ragaillardi.

— Autant pour M. Henry Baker! dit Holmes quand il eut refermé la porte sur notre visiteur. Nous pouvons être absolument sûrs qu'il ignore tout de l'affaire de l'escarboucle. Avez-vous faim, Watson ?

— Pas spécialement.

— Alors, je propose que nous transformions notre dîner en souper ; ce qui nous permettra de suivre une piste encore chaude.

— D'accord.

La nuit était glaciale. Nous nous mîmes autour du cou des écharpes de laine. Les étoiles scintillaient dans un ciel sans nuages. Nos pas résonnaient à travers le quartier des médecins : Wimpole Street, Harley Street, Oxford Street. Au bout d'un quart d'heure, nous nous trouvâmes devant l'Auberge Alpha, petit cabaret situé à l'angle de l'une des rues qui descend vers Holborn. Holmes poussa la porte du bar, et nous commandâmes deux verres de bière ; le patron avait la trogne rubiconde.

— Si votre bière est aussi bonne que vos oies, elle doit être excellente ! dit Holmes.

— Mes oies ?

Le patron, étonné, leva un sourcil.

— Oui, vos oies. J'en parlais encore il n'y a pas une demi-heure avec M. Henry Baker, qui est un membre de votre club.

— Ah ! bon ! Je vois. Mais vous savez, monsieur, ce ne sont pas mes oies !

— Tiens ? Les oies de qui, alors ?

— C'est-à-dire... J'en ai acheté deux douzaines à un marchand de Covent Garden.

— Vraiment ? J'en connais quelques-uns.
Lequel est-ce ?

— Breckinridge, qu'il s'appelle.

— Je ne connais pas celui-là. Hé bien ! à
votre santé, patron ! et à la prospérité de votre
établissement. Bonne nuit !

Revenus à l'air glacé, nous reboutonnâmes
nos pardessus.

— Et maintenant, en route vers ce
M. Breckinridge ! s'exclama Holmes. Car n'oubliez pas, Watson, que si, à l'un des bouts de
cette chaîne, il n'y a qu'une modeste oie, à
l'autre bout il y a un homme qui fera au moins
sept ans de bagne pour peu que nous ne

parvenions pas à établir son innocence. Il est bien possible que notre enquête confirme qu'il est coupable ; mais de toute façon nous tenons un fil qui a échappé à la police, et qu'un hasard miraculeux a placé dans notre main. Suivons-le jusqu'à sa toute dernière extrémité. En route, et rondement !

Nous traversâmes Holborn, descendîmes Endell Street, et après un zigzag compliqué parmi des taudis, nous arrivâmes au marché de Covent Garden. L'une des plus grandes boutiques portait l'enseigne de Breckinridge ; son propriétaire, qui se donnait l'allure d'un turfiste, était en train, avec l'aide d'un jeune garçon, de mettre les volets : il avait une figure pointue et des favoris soignés.

— Bonsoir ! dit Holmes. La nuit est glaciale, hé ?

Le marchand opina de la tête en jetant un regard interrogateur à mon camarade.

— Plus d'oies à vendre, à ce que je vois ! poursuivit Holmes en désignant l'étalage où luisait le marbre seul.

— Si vous en voulez cinq cents demain matin...

— Ça ne m'intéresse pas.

— J'en ai quelques-unes en train de rôtir.

— On m'a recommandé votre maison.

— Qui ça ?

— Le patron de l'Auberge Alpha.

— Tiens, oui ! Je lui en ai vendu deux douzaines.

— C'étaient des oies magnifiques. D'où venaient-elles ?

A ma stupéfaction, le marchand bondit :

— Dites donc, monsieur ! dit-il avec un visage à l'envers et les poings sur les hanches. Qu'est-ce que vous cherchez, vous ? Allez-y droit, maintenant !

— Je suppose que c'est suffisamment droit. J'aimerais savoir qui vous a vendu les oies que vous avez revendues à l'Auberge Alpha.

— Bon. Hé bien ! vous n'en saurez rien ! Salut !

— Je ne comprends pas pourquoi ma question vous met en colère. Vous la prenez à cœur...

— A cœur ! Vous la prendriez à cœur vous-même, si vous étiez aussi empoisonné que moi. Moi, quand je paie argent comptant une marchandise, j'estime que le marché est passé : finie, l'affaire ! Mais voilà qu'on me harcèle de : « Où sont les oies ? » et de « Combien vendez-vous vos oies ? » On dirait, ma parole, qu'il n'y a au monde que des oies, à croire le bruit qu'on fait autour d'elles.

— Je vous assure, dit Holmes négligemment, que je ne suis absolument pas en rapport avec les autres gens qui vous embêtent ! Si vous ne voulez rien dire, n'en parlons plus : je m'adresserai ailleurs, voilà tout. Mais pour ce qui concerne la volaille, je suis toujours prêt à parier n'importe quoi : tenez, j'ai parié cinq livres que l'oie que j'ai mangée avait été engraissée à la campagne.

— Hé bien ! vous avez perdu vos cinq livres ; car cette oie-là a été engraissée en ville.

— Certainement pas !

— Je vous dis qu'elle a été engraissée en ville.

— Bon. Mais je ne vous crois pas.

— Vous vous imaginez peut-être que vous vous y connaissez mieux que moi en volailles ? Moi qui en ai manié depuis que je suis un môme ? Je vous le dis, toutes les oies que j'ai vendues à l'Auberge Alpha ont été engraissées en ville.

— Mille regrets : vous ne me convaincrez pas !

— Qu'est-ce que vous pariez ?

— J'hésite : parier, c'est une façon de vous voler... car je sais que je ne me trompe pas. Mais si vous voulez, je parie un souverain, quand ce ne serait que pour vous apprendre à ne pas vous entêter.

Le marchand ricana :

— Apporte-moi les livres, Bill !

L'enfant courut et rapporta un petit livre ainsi qu'un grand registre taché de graisse ; il les posa tous les deux sous la lampe.

— Maintenant, à nous deux, monsieur l'amateur ! dit le marchand. Je croyais que je n'avais plus d'oies crues, mais voici qu'il m'en reste une, tout près de moi... Vous voyez ce petit livre ?

— Et alors ?

— Il contient la liste des gens à qui j'achète. Vous voyez bien ? Bon. Ici ce sont les pages réservées aux gens de la campagne, et les chiffres qui suivent les noms indiquent la page où leurs comptes sont tenus dans le gros registre. Bon. Maintenant, voyez-vous cette page écrite à l'encre rouge ? Hé bien ! c'est la liste de mes fournisseurs en ville. Bon. Maintenant regardez le troisième nom : et rappelez-moi donc de qui il s'agit.

— M$^{me}$ Oakshott, 117, Brixton Road... 249.

— Parfait. Maintenant, reportez-vous au grand livre.

Holmes le feuilleta jusqu'à la page indiquée.

— Voilà ! M$^{me}$ Oakshott, 117, Brixton Road, marchande d'œufs et de volailles.

— Bon. La dernière livraison, s'il vous plaît ?

— 22 décembre. Vingt-quatre oies à sept shillings et demi.

— Très bien. Et au-dessous ?

— Vendues à M. Windigate, de l'Alpha, à douze shillings.

— Alors, qu'est-ce que vous en dites ?

Sherlock Holmes parut profondément ulcéré. Il tira de sa poche un souverain, le lança sur le marbre, et fit demi-tour pour s'éloigner avec l'air d'un homme qui ne trouve pas ses mots pour exprimer son dégoût. A quelques mètres de là, il s'arrêta sous un lampadaire et rit de tout son cœur, mais silencieusement, comme lui seul savait le faire.

— Quand vous voyez un homme avec des favoris taillés de cette manière, et le *Journal des Courses* qui dépasse de sa poche, vous pouvez toujours le posséder par un pari, me dit-il. J'irai jusqu'à dire que si j'avais mis sur la table cent livres, cet homme ne m'aurait pas mieux renseigné : la seule idée du pari lui a fait ouvrir tous ses registres... Dites, Watson, j'espère que nous touchons au terme de notre enquête ! Le seul point qui reste à trancher est de décider si nous allons ce soir chez cette M<sup>me</sup> Oakshott, ou si nous remettons notre visite à demain. D'après ce que cet idiot nous a dit, il est évident qu'en dehors de nous, d'autres gens s'intéressent à l'affaire, et je devrais...

Un brouhaha qui s'élevait de la boutique que nous venions de quitter l'empêcha de poursuivre. En nous retournant, nous aperçûmes un petit type à la mine chafouine, planté au centre de la lumière jaune que projetait la lampe, tandis que Breckinridge, le marchand, se découpait sur le seuil : il menaçait de ses deux poings la silhouette maigrichonne.

— J'en ai assez de vous et de vos oies ! criait-il. Allez au diable ! La prochaine fois que vous viendrez m'embêter avec votre histoire idiote,

je vous lâche le chien aux trousses, m'avez-vous compris ? Allez chercher M^me Oakshott, et je lui parlerai. Mais vous, est-ce que cette affaire vous regarde ? Est-ce à vous que j'ai acheté les oies ?

— Non. Mais il y en avait tout de même une qui était à moi, gémit le petit type.

— Hé bien ! débrouillez-vous avec M^me Oakshott !

— Elle m'a dit de me débrouiller avec vous.

— Hé bien ! débrouillez-vous avec le roi de Prusse ! Pour ce que j'en ai à faire... Allez, en voilà assez ! Fichez-moi le camp !

Il se rua sur le petit type, mais celui-ci prit ses jambes à son cou et détala dans l'obscurité.

— Ah ! Voilà qui peut nous éviter une visite à Brixton Road, chuchota Holmes. Suivez-moi : nous allons voir ce que l'on peut faire avec ce type-là !

Il se faufila à travers les groupes qui flânaient autour des boutiques et rattrapa le petit type. Il posa sa main sur son épaule ; l'homme sursauta, et je pus constater à la lueur d'un réverbère qu'il était blanc comme un mort.

— Qui êtes-vous ? Que me voulez-vous ? interrogea-t-il d'une voix tremblante.

— Vous voudrez bien m'excuser, dit Holmes avec un grand sang-froid. Mais je n'ai pas pu faire autrement qu'entendre les questions que vous avez posées au marchand il n'y a qu'un instant. Je crois que je puis vous être de quelque secours.

— Vous ? Qui êtes-vous ? Qu'est-ce que vous en savez ?

— Je m'appelle Sherlock Holmes. C'est mon métier de savoir ce que les autres gens ne savent pas.

— Mais vous ne savez rien de ceci.

— Pardon ! Je sais tout. Vous êtes en train de chercher à retrouver la trace de quelques oies qui ont été vendues par M$^{me}$ Oakshott, de Brixton Road, à un marchand nommé Breckinridge ; lequel les a revendues à M. Windigate, de l'Alpha ; lequel M. Windigate les a cédées à son tour à un club auquel appartient M. Henry Baker.

— Oh ! monsieur, vous êtes exactement l'homme que je cherchais à rencontrer ! cria le petit type en joignant les mains et en se tordant les doigts. Si vous saviez combien cette affaire m'intéresse !

Sherlock Holmes héla un fiacre qui passait :

— Dans ce cas, nous discuterons mieux dans une chambre confortable que sur cette place battue par le vent ! fit-il. Mais dites-moi donc, avant tout, à qui j'ai le plaisir de rendre service ?

Le petit type hésita un moment avant de répondre :

— Je m'appelle John Robinson.

— Non, non ! répliqua Holmes avec une exquise suavité. Je veux le nom réel. On ne traite pas des affaires avec des pseudonymes...

Les joues pâles du petit type se colorèrent brusquement :

— Soit ! dit-il. Mon nom véritable est James Ryder.

— Exact. Chef du personnel à l'Hôtel Cosmopolitain. Je vous en prie, montez donc dans le fiacre ; dans un instant je pourrai vous dire tout ce que vous désirez tant apprendre.

Le petit type nous regarda l'un après l'autre avec des yeux où l'effroi se mêlait à l'espoir : il ressemblait à un homme qui se demande si c'est la bonne fortune ou une catastrophe qui l'attend. Tout de même, il grimpa dans le fiacre et, moins d'une demi-heure après, nous nous trouvions tous les trois dans Baker Street. Pendant la course, nous n'avions pas échangé une parole ; mais le souffle court de notre compagnon, ses mains qu'il nouait et dénouait, étaient révélateurs du degré de sa tension nerveuse.

— Nous voici arrivés ! s'exclama joyeusement Holmes quand nous pénétrâmes dans son appartement. Par ce temps, un bon feu me semble la chose la plus raisonnable qui soit. Vous paraissez frigorifié, monsieur Ryder : prenez donc cette chaise. Permettez-moi d'enfiler mes pantoufles ; après quoi nous allons régler cette petite affaire qui vous préoccupe si fort... Voilà ! Vous désirez donc connaître ce qu'il est advenu de ces oies ?

— Oui, monsieur.

— Ou plutôt, j'imagine, d'une oie en particulier : de cette oie à laquelle vous vous intéressiez ? blanche, avec une barre noire sur la queue ?

Ryder frémit sous l'émotion :

— Oh ! monsieur ! s'écria-t-il. Pouvez-vous me dire où elle est ?

— Elle est venue ici.

— Ici ?

— Oui. Et c'était une oie tout à fait remarquable, nous en avons eu la preuve. Je ne suis nullement surpris que vous vous intéressiez tant à elle. Elle a pondu un œuf après sa mort... Un œuf : l'œuf le plus joli, le plus délicat, le plus brillant, le plus bleu de tous les œufs que j'ai vus. Je l'ai gardé dans mon musée.

Notre visiteur sauta sur ses pieds et se cramponna à la cheminée avec sa main droite. Holmes fit jouer son coffre, et éleva en l'air l'escarboucle bleue, qui scintilla comme une étoile, avec sa lumière froide, étincelante, à facettes. Ryder restait debout ; ses traits tirés révélaient l'incertitude où il se débattait : allait-il la réclamer, ou la désavouer ?

— La partie est finie, Ryder ! dit Holmes calmement. Tenez le coup, mon vieux, autrement vous allez tomber dans le feu. Reconduisez-le à sa chaise, Watson : il n'a pas assez de sang dans les veines pour jouer les durs sans être pris. Versez-lui une rasade de cognac... Là ! Maintenant il a l'air d'être presque un homme. Quelle mauviette, tout de même !

Ryder avait chancelé, avait failli tomber ; le cognac lui fit circuler le sang, et il s'assit en regardant son accusateur avec des yeux épouvantés.

— J'ai presque tous les maillons de la chaîne, et quasiment toutes les preuves dont j'ai besoin ; aussi vous n'aurez pas grand-chose à m'avouer. Pourtant ce « pas grand-chose » élucidera toute l'affaire. Vous aviez entendu parler, Ryder, de cette pierre bleue de la comtesse de Morcar ?

— C'est Catherine Cusack qui m'en a parlé, dit-il en bégayant de terreur.

— Je vois. La femme de chambre de la dame. En somme, la tentation d'une fortune si

facilement acquérable vous a été fatale : elle l'a été pour de bien meilleurs hommes que vous. Seulement vous, Ryder, vous n'avez guère été scrupuleux sur les moyens à employer ! J'ai l'impression, Ryder, que vous avez l'étoffe d'une crapule, d'une sale petite crapule... Vous saviez bien que le plombier Horner avait eu auparavant une vilaine affaire, et qu'infailliblement il serait soupçonné ? Alors, qu'avez-vous fait ? Vous avez démoli quelque chose dans la chambre de la dame, vous et votre associée Catherine Cusack, puis vous vous êtes débrouillés pour que Horner fût envoyé pour effectuer la réparation. Il l'a faite, il est parti, vous avez fouillé le coffret à bijoux, volé la pierre, donné l'alerte. Le malheureux Horner a été arrêté. Et puis, vous...

Ryder s'abattit sur le tapis et embrassa les genoux de Sherlock Holmes :

— Pour l'amour de Dieu, ayez pitié de moi ? cria-t-il. Pitié pour mon père ! Pitié pour ma mère ! Ils vont en avoir le cœur brisé. Jamais plus je ne me conduirai mal ! Jamais plus ! Je vous jure. Je vous le jurerais sur la Bible ! Oh ! ne portez pas l'affaire devant le tribunal ! Pour l'amour du Christ, ne le faites pas !

— Rasseyez-vous sur votre chaise ! commanda Holmes avec sévérité. C'est très bien de pleurer et de regretter, mais vous vous souciez peu de ce pauvre Horner, jeté en prison pour un crime qu'il n'a pas commis.

— Je vais partir, monsieur Holmes. Je vais quitter le pays. Ainsi l'accusation contre lui tombera.

— Hum ! Nous en reparlerons. Maintenant venons-en au deuxième acte : comment la pierre est-elle venue dans l'oie ? et comment l'oie a-t-elle été vendue au marché ? Dites-nous la vérité : c'est votre dernière chance de salut.

Ryder passa sa langue sur ses lèvres sèches :

— Je vais vous dire tout ce qui s'est passé, monsieur ! commença-t-il. Quand Horner a été arrêté, j'ai pensé que le mieux serait de disparaître tout de suite avec la pierre, car j'avais peur qu'il vînt à l'idée de la police de me fouiller, moi ou ma chambre. Il n'y avait dans l'hôtel aucun endroit où je pouvais la cacher. Je sortis, comme pour m'acquitter d'une commission quelconque, et je me rendis chez ma sœur. Elle est mariée à un nommé Oakshott; elle habite dans Brixton Road, et elle engraisse des oies pour les vendre au marché. Tout le long du chemin, chaque homme que je rencontrais me semblait être un agent de police ou un inspecteur. Il faisait bien froid, et pourtant je suais à grosses gouttes. Ma sœur me demanda pourquoi j'étais dans cet état; je lui répondis que j'avais été retourné par le vol du joyau à l'hôtel. Puis je sortis dans la cour, pour fumer une pipe et réfléchir à ce que je pourrais faire de mieux.

» J'ai un ami, qui s'appelle Maudsley, qui a mal tourné, et qui vient de purger une peine de prison à Pentonville. Un jour, il m'avait raconté comment les voleurs s'arrangeaient pour écouler les produits de leurs vols. Je savais que je pouvais compter sur lui, car je connaissais une ou deux petites choses sur son compte; j'eus l'idée de me rendre à Kilburn, où il habite, et de lui confier mon secret : il me dirait comment faire de l'argent avec la pierre. Mais comment aller jusqu'à Kilburn? Le souvenir des mille morts que je venais de subir en route m'assaillit : à n'importe quel moment, je pouvais être arrêté, fouillé; or la pierre se trouvait dans la poche de mon gilet. Pour mieux réfléchir, je m'étais appuyé le dos au mur; devant moi picoraient les oies de ma sœur. Une autre idée me vint; j'eus l'impression que cette idée mettrait en échec le meilleur détective du monde.

» Ma sœur m'avait dit, quelques semaines plus tôt, que je pourrais avoir comme cadeau de Noël la plus belle de ses oies : elle n'était pas femme à se démentir. Pourquoi n'emporterais-je pas une oie maintenant ? Je lui ferais avaler ma pierre, et je l'emmènerais à Kilburn. Aussitôt pensé, aussitôt exécuté. Dans la cour, il y avait un petit hangar ; je m'emparai d'une oie, bien dodue, très jolie, toute blanche avec une raie noire sur la queue ; je lui ouvris le bec et je lui enfournai avec mon doigt la pierre dans le gosier aussi loin qu'il put s'enfoncer. L'oie donna un coup de gosier pour avaler, et je sentis la pierre descendre et tomber dans son jabot. Mais ce damné animal se mit à battre des ailes et à vouloir m'échapper ; le bruit attira ma sœur qui vint voir ce qui se passait. Au moment où je me tournais vers elle pour lui parler, l'oie me fit lâcher prise et se perdit parmi ses compagnes.

» — Qu'est-ce que tu fabriques avec l'oiseau, Jem ? me demanda ma sœur.

» — Quoi ! Tu m'as dit que tu me feras cadeau d'une oie pour Noël ; j'étais en train de les tâter pour choisir la plus grosse.

» — Oh ! dit-elle. J'ai mis la tienne de côté. On l'appelle « L'oie de Jem ». C'est la belle, toute blanche, là-bas. J'en ai vingt-six : il y en a une pour toi, une pour nous, et deux douzaines pour le marché.

» — Merci bien, Maggie ! lui dis-je. Mais si ça ne te faisait rien, je préférerais celle que j'ai choisie tout à l'heure.

» — Tu es fou ! L'autre pèse bien trois livres de plus. On l'a gavée exprès pour toi.

» — Tant pis ! J'aime mieux l'autre, et je vais l'emporter maintenant.

» — Comme tu voudras !

» Elle était un peu vexée. Elle demanda :

» — Laquelle veux-tu, alors ?

» — Celle-là : la blanche avec une raie noire sur la queue, juste au milieu du troupeau.

» — Bon, bon ! Tu n'as qu'à la tuer et à l'emporter.

» Je fis comme elle l'avait dit, monsieur Holmes. Et j'emportai mon oie à Kilburn. Je racontai à mon copain mon aventure : c'était un type qui savait apprécier les histoires. Il faillit mourir de rire. Mais il m'apporta un couteau et nous ouvrîmes l'oiseau. Mon cœur s'arrêta lorsque je m'aperçus qu'il n'y avait pas trace de la pierre : une erreur effroyable avait été commise ! Ma sœur s'était trompée. Je laissai l'oie à mon copain, revins à toutes jambes chez ma sœur, et me précipitai dans la basse-cour : il n'y restait plus une oie.

» — Qu'est-ce que tu as fait de tes oies, Maggie ?

» — Elles sont parties chez le marchand.

» — Quel marchand ?

» — Breckinridge, à Covent Garden.

» — Il n'y en avait pas une autre, qui avait une raie noire sur la queue ? Qui ressemblait à celle que j'avais choisie ?

» — Mais si, Jem ! Il y en avait deux qui avaient une raie noire sur la queue ; je n'ai jamais pu les reconnaître l'une de l'autre.

» Bon. J'avais compris. Je repris ma course pour arriver le plus tôt possible chez ce Breckinridge. Mais il venait de vendre le lot, et je ne pus pas lui arracher un mot sur le client à qui il l'avait vendu. Vous l'avez entendu vous-mêmes tout à l'heure, n'est-ce pas ? Hé bien ! il m'a toujours répondu sur le même ton ! Ma sœur croit que je suis devenu fou. Et moi, il me semble que je le deviens réellement. A présent me voici un voleur, un infâme voleur, et je n'ai même pas touché l'argent pour lequel j'ai perdu mon honneur. Que Dieu m'aide ! Oh ! que Dieu m'aide !

Il éclata en sanglots convulsifs ; il avait enfoui sa tête entre ses mains.

Un long silence s'ensuivit, que troublaient seulement sa respiration haletante et le tapotement du doigt de Sherlock Holmes sur la table. Soudain mon ami se leva et ouvrit la porte :

— Filez ! dit-il.

— Comment, monsieur ?... Oh ! soyez béni !

— Plus un mot ! Fichez-moi le camp !

Il n'y eut plus un mot : à quoi bon ? Mais il y eut un bond, une dégringolade dans l'escalier, le claquement d'une porte, et une galopade effrénée dans la rue.

— Après tout, Watson, dit Holmes en attrapant une pipe sur le râtelier, je ne suis pas engagé par la police pour suppléer à ses défaillances. Si Horner était en danger, ce serait différent ; mais Ryder ne témoignera jamais plus contre lui, et l'accusation s'effondrera. J'ai peut-être sauvé un criminel ? Il est possible, également, que j'aie sauvé son âme. Ce type ne fera plus le mal : il a eu trop peur. Si je l'avais envoyé aujourd'hui en prison, il serait devenu un gibier de potence pour toute sa vie. Et puis, nous venons de fêter Noël, c'est l'époque du pardon. Le hasard a placé sur notre route un problème bizarre, et il nous a aidés à le résoudre. Contentons-nous de cette récompense ! Si vous aviez l'obligeance de sonner, docteur, nous pourrions nous pencher maintenant sur un autre problème qui tournera, lui aussi, autour d'un oiseau.

# LE RUBAN MOUCHETÉ

Voici huit ans que j'étudie les méthodes de mon ami Sherlock Holmes. Quand je compulse les notes que j'ai prises, je ne compte pas moins de soixante-dix affaires sortant de l'ordinaire. Il y en a de tragiques, de comiques, de simplement bizarres, mais aucune ne saurait prétendre à la banalité. La raison en est facile à comprendre : Holmes travaillait bien davantage pour l'amour de l'art que pour s'enrichir. Un tel désintéressement l'a donc incité à ne pas se mêler de cas vulgaires : il lui fallait l'inhabituel, et même le fantastique.

Il me semble que l'histoire la plus singulièrement fantastique est celle qui le mit en rapports avec la célèbre famille du Surrey, les Roylott de Stoke Moran. Les événements en question remontent aux débuts de notre association, lorsque nous partagions en garçons le même appartement dans Baker Street. Sans doute les aurais-je relatés plus tôt si je n'avais été tenu par ma parole d'honneur. Mais la dame qui me l'avait demandée est morte le mois dernier, et je me trouve délié de tout engagement. Au reste, il n'est pas mauvais que la vérité sur cette affaire soit enfin publiée ! J'ai en effet de bonnes raisons de penser que le décès du docteur Grimesby Roylott a donné lieu à quantité de rumeurs dans le public ; la vérité est à peine moins horrible ; mais enfin elle l'est moins.

De très bonne heure, un matin d'avril 1883, je m'éveillai parce que Sherlock Holmes, tout habillé, s'approchait de mon lit. Mon ami n'avait rien d'un « lève-tôt » ; comme la pendule marquait sept heures et quart, je lui décochai un regard où l'étonnement se mêlait à quelque ressentiment : j'étais moi-même un homme à habitudes régulières, et je n'aimais guère être dérangé à des heures indues.

— Désolé de vous tirer du sommeil, Watson ! fit-il. Mais vous n'échapperez pas au sort commun : M$^{me}$ Hudson a été réveillée ; elle m'a réveillé ; à mon tour je vous réveille.

— Qu'est-ce qui se passe ? Le feu ?

— Non, pas le feu ; une cliente. Il paraît qu'une jeune dame vient d'arriver, très excitée, et qui insiste pour me voir immédiatement. Elle m'attend dans le salon. Lorsque de jeunes dames se promènent en ville à une heure aussi matinale, et qu'elles tirent d'honnêtes gens de leurs lits, je crois qu'elles ont quelque chose d'urgent à communiquer. En admettant qu'il s'agisse d'une affaire intéressante, vous ne

92

demanderiez pas mieux, je pense, que de la suivre dès le début. Voilà pourquoi je vous ai dérangé : pour vous donner une chance.

— Mon cher ami, je m'en voudrais de la rater !

Rien ne me plaisait plus que de coller à Holmes pendant ses enquêtes ; j'admirais la rapidité de sa logique : tellement prompte qu'elle rivalisait avec l'intuition ; elle déroulait toujours ses propositions en partant d'une base solide, grâce à quoi il débrouillait les problèmes les plus compliqués qui étaient soumis à sa sagacité d'analyste. En quelques minutes je fus habillé et prêt à accompagner mon ami dans le salon. Une dame vêtue de noir et dont le visage était caché par une voilette épaisse se leva quand nous entrâmes.

— Bonjour, madame! dit Holmes aimablement. Je m'appelle Sherlock Holmes, et voici mon confrère et ami le docteur Watson. Vous pouvez parler aussi librement devant lui que devant moi... Ah! je suis content que M$^{me}$ Hudson ait eu la bonne idée d'allumer le feu! Asseyez-vous près de la cheminée. Je vais commander pour vous une tasse de café, car vous frissonnez.

— Ce n'est pas le froid qui me fait frissonner! répondit la dame d'une voix étouffée tout en changeant de siège comme on l'en avait priée.

— Quoi donc alors?

— La peur, monsieur Holmes. Je suis terrorisée!

Elle releva sa voilette, et nous fûmes à même de constater qu'elle se trouvait énervée à un degré pitoyable : ses traits étaient tirés, sa peau grise ; ses yeux agités trahissaient l'épouvante ; on aurait dit un animal traqué. Elle semblait avoir une trentaine d'années, mais ses cheveux avaient prématurément grisonné ; elle donnait l'impression d'une femme épuisée, égarée. Sherlock Holmes lui dédia un regard aussi pénétrant que compréhensif.

— Vous ne devez plus avoir peur! dit-il doucement, en se penchant vers elle pour tapoter sur son bras. Nous allons vite arranger cette affaire, j'en suis certain... Vous êtes arrivée par le train ce matin, n'est-ce pas?

— Vous me connaissez donc?

— Non, mais je remarque un billet de retour dans la paume de votre gant gauche. Et vous avez dû partir de bonne heure. Et vous avez fait une longue course en cabriolet, sur de mauvaises routes, avant d'atteindre la gare.

La dame sursauta et considéra mon camarade avec ahurissement.

— Ne cherchez aucun mystère, chère madame ! dit-il en souriant. Sur la manche gauche de votre veste, il y a des taches de boue, très fraîches. Le seul moyen de transport qui projette ainsi de la boue est un cabriolet ; et je suis sûr que vous étiez assise à gauche du cocher.

— Vous avez raison, dit-elle. J'ai quitté la maison avant six heures, je suis arrivée à Leatherhead vers six heures vingt, et j'ai pris le premier train pour Londres. Monsieur, je n'en peux plus : je deviendrai folle si ça continue ! Je n'ai personne vers qui me tourner. Personne ! sauf quelqu'un, qui me témoigne de l'intérêt, mais qui ne peut guère me secourir, le pauvre ! J'ai entendu parler de vous, monsieur Sherlock Holmes. C'est M<sup>me</sup> Farintosh qui m'a parlé de vous : vous l'avez aidée lorsqu'elle était en grand besoin de l'être. C'est elle qui m'a indiqué votre adresse. Oh ! monsieur ! ne croyez-vous pas que vous pourriez m'aider aussi ? Si seulement je pouvais voir un petit peu plus clair dans la nuit où je me débats ! Pour l'instant, il m'est impossible de vous offrir quoi que ce soit pour le service que vous me rendriez. Mais dans un mois ou deux je serai mariée, je pourrai disposer de mes revenus, et je vous jure que vous n'aurez pas obligé une ingrate !

Holmes alla vers son bureau, ouvrit un tiroir et sortit un fichier, qu'il consulta.

— Farintosh ! dit-il. Ah ! oui. Je retrouve l'affaire de ce nom-là : il s'agissait d'un diadème avec des opales... C'était avant notre association, Watson. Je vous dirai simplement, madame, que je serai heureux de m'occuper de vous et que j'apporterai à votre cas autant de diligence qu'à celui de votre amie. Quand à mes honoraires, mon métier lui-même comporte toutes sortes de récompenses. S'il entre dans vos intentions de me défrayer des dépenses que je pourrais avoir à supporter, alors vous me réglerez quand cela vous sera le plus facile, voilà tout. Pour l'instant, je vous serais reconnaissant de bien vouloir exposer tous les faits qui pourraient m'aider à former une opinion sur votre affaire.

— Hélas ! répondit notre visiteuse. Ce qui fait l'horreur de ma situation est que mes craintes sont très imprécises, et que mes soupçons ne sont fondés que sur de touts petits détails qui, à quelqu'un d'autre, paraîtraient insignifiants. La personne, par exemple, dont je souhaiterais tirer de l'aide et un avis, de préférence à qui que ce soit au monde, prend mes récits pour les lubies d'une femme trop nerveuse. Il ne me le dit pas aussi nettement que cela, mais je le devine d'après le ton lénitif de sa voix, ou d'après son regard qui fuit... On m'a affirmé, monsieur Holmes, que vous étiez capable de voir loin dans la méchanceté du cœur

humain : en ce cas, vous pourriez me guider
parmi les dangers qui guettent chacun de mes
pas.

— Je vous écoute très attentivement,
madame.

— Je m'appelle Hélène Stoner, et je vis avec
mon beau-père, qui est le dernier survivant de
l'une des plus vieilles familles saxonnes de
l'Angleterre, les Roylott de Stoke Moran, à
l'extrémité ouest du Surrey.

Holmes hocha la tête :

— C'est un nom connu, dit-il.

— Autrefois, cette famille comptait parmi
les plus riches de l'Angleterre ; son domaine

s'étendait jusque dans le Berkshire vers le nord et dans le Hampshire vers l'ouest. Au siècle dernier, cependant, quatre héritiers successifs dilapidèrent les biens, et la ruine de la famille fut consommée à l'époque de la Régence par un joueur. Tout ce qui fut sauvé se résume à quelques hectares et à une maison, qui a deux cents ans et qui est écrasée par une lourde hypothèque. Le dernier propriétaire y traîna une existence misérable : celle d'un aristocrate ruiné. Mais son fils unique, mon beau-père, comprit qu'il devait s'adapter à de nouvelles conditions de vie : il obtint un prêt de l'un de ses proches, réussit dans ses études de médecine et alla s'établir à Calcutta ; à force de persévérance et grâce à ses qualités professionnelles, il se fit une importante clientèle. Toutefois, dans un accès de colère, et sous le prétexte que quelques vols avaient été commis dans sa maison, il battit à mort son majordome, un indigène, et il échappa de peu à la peine capitale. Il demeura de longues années en prison, puis il regagna l'Angleterre : ce n'était plus qu'un homme aigri, un raté.

» Pendant que le docteur Roylott était aux Indes, il avait épousé ma mère, Mme Stoner, jeune veuve du major général Stoner, de l'artillerie du Bengale. Ma sœur Julie et moi étions jumelles, et nous n'avions que deux ans lorsque notre mère se remaria. Elle jouissait d'une fortune considérable, ses revenus s'élevaient à près d'un millier de livres par an. Elle avait tout légué au docteur Roylott pendant que nous vivions avec lui, sous la réserve d'une disposition aux termes de laquelle une certaine somme devait nous être versée annuellement en prévision de notre mariage. Peu après notre retour en Angleterre, ma mère mourut : elle fut victime, voici huit ans, d'un accident de chemin de fer près de Crewe. Le docteur Roylott abandonna alors son idée de s'établir à Londres et il nous emmena dans la maison de ses ancêtres à Stoke Moran. Ma mère nous avait laissé suffisamment d'argent pour nos besoins : tout semblait indiquer que les soucis nous épargneraient.

» Mais un terrible changement s'opéra bientôt en notre beau-père. Au lieu de nouer des relations d'amitié avec nos voisins, qui s'étaient tous réjouis de revoir un Roylott de Stoke Moran dans la vieille maison, il s'enferma chez lui ; il ne sortit guère que pour se prendre de querelle avec quiconque paraissait devoir ne pas lui céder le pas. Dans les hommes de cette famille, la violence du tempérament poussée jusqu'à la manie était héréditaire ; pour ce qui était de mon beau-père, une telle disposition n'avait pu que s'amplifier sous les tropiques. Une série de rixes peu honorables se produisit : deux d'entre elles eurent leur épilogue devant le Tribunal correctionnel. Il devint la terreur du village ; les gens s'enfuyaient à son approche, car il est d'une force herculéenne et il ne se contrôle pas quand il est en colère.

» La semaine dernière il jeta le maréchal-ferrant par-dessus le parapet du pont dans la rivière ; j'ai dû donner tout l'argent dont je disposais pour éviter une nouvelle comparution en justice. Ses seuls amis sont les bohémiens : il les autorise à camper sur ses terres envahies par les ronces, et il accepte parfois l'hospitalité de leurs tentes ; il va même jusqu'à faire route avec eux en certaines fins de semaine. Il a aussi une passion pour les animaux des Indes ; un correspondant lui en envoie régulièrement. En ce moment il a un guépard et un babouin en liberté dans son domaine : ces bêtes autant que leur maître terrorisent les villageois.

» Vous pouvez déduire de tout cela que ma pauvre sœur Julie et moi-même n'étions guère heureuses. Les domestiques ne voulaient pas rester chez nous ; pendant longtemps nous avons été obligées de faire tout le travail de la maison. Julie n'avait pas trente ans lorsqu'elle mourut, et cependant ses cheveux avaient commencé à blanchir, comme les miens sont en train de le faire.

— Votre sœur est morte, donc ?

— Oui. Il y a de cela juste deux ans. Et c'est de sa mort que je voudrais vous parler à présent. Vous comprenez que, menant l'existence que je vous ai dépeinte, nous ne voyions guère de gens de notre âge ou de notre rang. Pourtant nous avions une tante, une sœur non mariée de ma mère, M$^{lle}$ Honoria Westphail, qui habite près de Harrow, et nous obtenions de temps en temps la permission d'aller la voir. Il y a deux ans, pour Noël, Julie se rendit chez elle et elle fit la connaissance d'un major de la marine ; ils se fiancèrent. Quand ma sœur rentra à la maison, elle apprit à notre beau-père ses fiançailles, et il n'éleva aucune objection.

Mais quinze jours avant la date fixée pour les noces, un terrible événement me priva de ma seule amie.

Sherlock Holmes s'était enfoncé dans son fauteuil et, la tête posée sur un coussin, il avait fermé les yeux. Mais à ce point du récit, il entrouvrit les paupières et jeta un bref coup d'œil à notre visiteuse.

— Soyez bien précise dans les détails ! murmura-t-il.

— Oh ! cela ne me sera pas difficile ! Tout est resté gravé dans ma mémoire... Je vous ai déjà dit que notre manoir était très vieux ; une seule aile est habitée. Dans cette aile, les chambres à coucher sont au rez-de-chaussée, car les salons se trouvent dans la partie centrale du bâtiment. La première de ces chambres à coucher est celle du docteur Roylott, la seconde était celle de ma sœur, la troisième la mienne. Entre elles, pas de communications directes, mais toutes trois donnent sur le même couloir. Suis-je assez claire ?

— Parfaitement claire.

101

— Les fenêtres de ces trois chambres ouvrent sur le jardin. Cette nuit-là, le docteur Roylott s'était retiré de bonne heure ; mais nous savions qu'il ne dormait pas, car ma sœur avait été incommodée par l'odeur des cigares de l'Inde, très forts, qu'il fumait habituellement, et elle avait quitté sa chambre pour passer dans la mienne : nous avions bavardé sur son proche mariage. Vers onze heures, elle s'était levée pour partir, mais au moment d'ouvrir la porte elle s'était arrêtée et avait regardé derrière elle.

» — Dis, Hélène, tu n'as jamais entendu quelqu'un siffler quand il fait nuit noire ?

» — Jamais ! lui répondis-je.

» — Je suppose que, pendant ton sommeil, tu ne pourrais pas te mettre à siffler, n'est-ce pas ?

» — Certainement pas, Julie. Mais pourquoi ?

» — Parce que ces dernières nuits j'ai entendu, toujours vers les trois heures du matin, et distinctement, un sifflement à demi étouffé. J'ai le sommeil léger, et ce sifflement m'a réveillée. Je ne puis pas te dire d'où il provient : peut-être d'à côté, peut-être du jardin. Je me demandais si tu ne l'avais jamais entendu.

» — Non, jamais. Ce doit être ces maudits romanichels sous les arbres.

» — Vraisemblablement. Pourtant, si cela venait du jardin, tu l'aurais bien entendu aussi.

» — J'ai le sommeil moins léger que toi !

» — Oh ! peu importe après tout !

» Elle me sourit, sortit, referma ma porte, et

je l'entendis verrouiller la porte de sa chambre.

— Vraiment ? interrogea Holmes. Aviez-vous l'habitude de vous enfermer ainsi la nuit ?

— Chaque nuit.

— Et pourquoi ?

— Je crois que je vous ai parlé du babouin et du guépard du docteur Roylott. Nous ne nous sentions en sécurité que lorsque nos verrous étaient mis.

— Parfait ! Poursuivez, je vous prie.

— Cette nuit-là, je ne parvenais pas à m'endormir. Un pressentiment me troublait. Je vous rappelle que nous étions jumelles, ma sœur et moi, et vous savez combien sont forts et subtils ces liens que tresse la nature. C'était d'ailleurs une nuit affreuse : le vent hurlait, la pluie battait les vitres. Soudain, parmi tout le vacarme de la tempête, jaillit le hurlement sauvage d'une femme dans l'épouvante. Je reconnus la voix de ma sœur. Je sautai à bas de mon lit, m'enveloppai d'un châle et me précipitai dans le couloir. Au moment où j'ouvris ma porte, il me sembla entendre le sifflement étouffé que ma sœur m'avait décrit, puis une ou deux secondes plus tard un son métallique, comme si un lourd objet de métal était tombé. Tandis que je courais dans le couloir, la porte de ma sœur s'ouvrit et tourna lentement sur ses gonds. Frappée d'horreur, je regardai, je ne savais qui allait sortir. Puis la silhouette de Julie se profila dans la lumière de la lampe du couloir, sur le seuil : la terreur avait retiré tout le sang de son visage ; elle agita les mains pour appeler à l'aide ; sa tête se balançait comme si elle était ivre. Je m'élançai, glissai mes bras autour d'elle pour la soutenir, mais ses genoux se plièrent, et elle s'effondra par terre. Elle était secouée de convulsions comme quelqu'un qui souffre effroyablement, et son corps était arqué. D'abord je crus qu'elle ne m'avait pas reconnue, mais quand je me penchai sur elle, elle me cria d'une voix que je n'oublierai jamais :

» — Oh mon Dieu ! Hélène ! Le ruban ! Le ruban moucheté !

» Il y avait autre chose qu'elle aurait voulu me dire, et elle pointa du doigt vers la chambre du docteur Roylott ; à ce moment, un nouveau spasme la saisit et lui retira le pouvoir de parler. Je me ruai vers la chambre de mon beau-père en l'appelant de toutes mes forces : il sortait hâtivement en enfilant sa robe de chambre. Quand il arriva auprès de ma sœur, elle avait perdu connaissance ; il desserra ses dents pour lui faire avaler un peu de cognac ; il eut beau envoyer chercher le médecin du village, elle sombra lentement dans le coma et elle mourut sans revenir à elle. Voilà comment je perdis ma sœur bien-aimée.

— Un instant ! dit Holmes. Etes-vous sûre d'avoir entendu le sifflement et le bruit métallique ? Pourriez-vous le jurer ?

— Ce fut ce que me demanda le coroner pendant l'enquête. J'ai vraiment l'impression d'avoir entendu cela ; toutefois, avec le déchaînement de la tempête et tous les craquements dans cette vieille maison, il se peut que je me soit trompée.

— Votre sœur était-elle habillée ?

— Non. Elle était en chemise de nuit. Dans sa main droite elle tenait un bout d'allumette consumée ; dans sa main gauche une boîte d'allumettes.

— Ce qui indique que quand quelque chose l'a alarmée, elle a allumé une allumette et a regardé autour d'elle. C'est important. Et quelles conclusions a tirées le coroner ?

— Il a mené l'enquête avec une grande minutie, car l'inconduite du docteur Roylott était depuis longtemps notoire dans le pays, mais il a été incapable de trouver une cause plausible du décès. Mon témoignage a indiqué que la porte avait été verrouillée de l'intérieur, que les fenêtres étaient protégées par de vieilles persiennes pourvues de grosses barres de fer et fermées chaque nuit. Les murs ont été sondés avec soin : ils ont paru d'une solidité à toute épreuve ; le plancher a été pareillement examiné, et sans résultat. La cheminée est large, mais elle est barrée par quatre gros crampons. Il est certain, par conséquent, que ma sœur était seule quand elle trouva la mort. Par ailleurs, on ne décela sur son corps aucune trace de violence.

— Et a-t-il été question d'empoisonnement ?

— Les médecins y ont songé ; mais leur examen a été négatif.

— Selon vous, de quoi donc a pu mourir cette malheureuse jeune fille ?

— Je crois qu'elle est morte de frayeur, d'un choc nerveux. Mais qu'est-ce qui l'a effrayée ? voilà ce que je ne puis imaginer.

— Y avait-il des romanichels dans le domaine cette nuit-là ?

— Oui, il y en a toujours, ou presque toujours, dans le domaine.

— Ah ! Et comment interprétez-vous l'allusion au ruban moucheté ?

— Tantôt je crois qu'elle délirait, tantôt je me demande si elle ne désignait pas les bohémiens : peut-être les mouchoirs multicolores dont ils serrent leurs têtes lui avaient-ils suggéré cet étrange adjectif...

Holmes secoua la tête : visiblement cette explication ne le satisfaisait pas.

— Nous nageons dans des eaux très profondes ! fit-il. Voulez-vous continuer votre récit ?

— Deux années s'écoulèrent ensuite, et jusqu'à ces tout derniers temps ma vie n'avait jamais été plus solitaire. Il y a un mois, un ami très cher, que je connais depuis longtemps, m'a fait l'honneur de me demander ma main. Il s'appelle Armitage, Percy Armitage ; c'est le deuxième fils de M. Armitage, de Crane Water, près de Reading. Mon beau-père a donné son accord à ce projet : nous devons nous marier dans le courant du printemps. Avant-hier, quelques réparations ont été entreprises dans l'aile ouest du manoir, le mur de ma chambre a été percé, si bien que je me suis vue dans l'obligation de me transporter dans la pièce où mourut ma sœur, et de dormir dans le lit qui fut le sien. Imaginez mon épouvante quand, la nuit dernière, ne dormant pas et méditant sur la terrible fin de Julie, j'entendis subitement dans le silence de la nuit le sifflement étouffé qui avait précédé sa mort. Je bondis du lit et allumai la lampe, mais en vain : je ne vis rien. J'avais trop peur pour me remettre au lit ; aussi, je m'habillai ; et dès que l'aube vint, je me glissai dehors, pris un cabriolet à l'Auberge de la Couronne, juste en face de la maison, et j'ai roulé vers Leatherhead, d'où j'arrive, dans le seul but de vous voir et de vous demander conseil.

— Vous avez bien fait ! opina mon ami. Mais m'avez-vous tout dit ?

— Oui. Tout.

— Non, mademoiselle Stoner, vous ne m'avez pas tout dit. Vous couvrez votre beau-père.

— Quoi ! Que voulez-vous dire ?

Pour toute réponse, Holmes releva le petit volant de dentelle noire qui recouvrait le poignet de notre visiteuse. Cinq petites taches livides s'y étalaient : indubitablement les marques de quatre doigts et d'un pouce.

— Il vous traite bien cruellement ! dit Holmes.

Hélène Stoner rougit et recouvrit son poignet :

— C'est un homme dur, murmura-t-elle. Il ne connaît pas sa force.

Un long silence s'ensuivit ; Holmes, le menton appuyé sur les mains, regardait brûler le feu.

— Voilà une affaire très complexe, dit-il enfin. Il y a des milliers de détails sur lesquels je voudrais bien être fixé avant de décider d'un plan d'action. Mais nous n'avons pas un moment à perdre. Si nous nous rendions aujourd'hui à Stoke Moran, pourrions-nous voir ces chambres sans que votre beau-père le sache ?

— Justement il a parlé d'une course importante qu'il doit faire aujourd'hui en ville. Il est vraisemblable qu'il sera absent toute la journée et qu'il ne vous dérangera pas. Nous avons une bonne à présent, mais c'est une vieille femme un peu folle ; je pourrai très bien la tenir à l'écart.

— Bien. Pas d'opposition à cette excursion, Watson ?

— Aucune opposition !

— Alors nous viendrons tous les deux. Que faites-vous maintenant ?

— Une ou deux emplettes ; je vais en profiter puisque je suis à Londres. Mais je serai de

retour à temps pour vous accueillir : je prendrai le train de midi.

— Nous arriverons au début de l'après-midi. Moi-même, j'ai ma matinée occupée par quelques affaires. Vous ne voulez pas que je vous fasse servir le petit déjeuner ?

— Non, merci ! Je me sens tellement plus légère depuis que je vous ai confié ce que j'avais sur le cœur ! Je veillerai à ce que tout soit en ordre pour vous recevoir cet après-midi.

Elle rajusta sa voilette noire et sortit.

— Qu'est-ce que vous pensez de tout cela, Watson ? demanda Sherlock Holmes en se renfonçant dans son fauteuil.

— Il me semble qu'il s'agit d'une affaire sombre et sinistre, non ?

— Assez sombre, et assez sinistre, oui !

— Toutefois, si cette dame ne se trompe pas quand elle assure que le plancher et les murs ont été sondés, et que la porte, la fenêtre et la cheminée sont infranchissables, alors sa sœur était certainement seule quand elle a trouvé cette mort mystérieuse.

— Que faites-vous, dans ce cas, des sifflements nocturnes et des dernières paroles, très bizarres, de la mourante ?

— Rien. Je ne peux rien dire.

— Quand vous combinez les idées de sifflements pendant la nuit, de la présence d'une bande de romanichels très liés avec ce vieux docteur, le fait que nous avons toutes raisons de penser que ledit docteur est intéressé à empêcher le mariage de sa belle-fille, l'allusion de la mourante à un ruban, et finalement le fait que

M<sup>lle</sup> Hélène Stoner a entendu un bruit métallique, lequel pourrait avoir été causé par la chute de l'une de ces barres de fer qui protègent les persiennes et qui serait revenue à sa place, je crois qu'il y a de fortes chances pour que l'énigme tourne autour de ces bases.

— Mais qu'ont fait les bohémiens, alors ?

— Je ne peux pas l'imaginer encore.

— Je vois poindre beaucoup d'objections contre une telle théorie...

— Moi aussi ! Et voilà pourquoi nous allons partir dès aujourd'hui pour Stoke Moran. Je veux m'assurer si ces objections ont un caractère inéluctable, ou si elles peuvent être levées d'une façon quelconque. Mais qu'est-ce qui se passe, de par le diable ?

Cette exclamation avait été arrachée à mon camarade, qui avait vu sa porte s'ouvrir brutalement et un géant apparaître sur le seuil. Il était habillé d'une curieuse manière : à la fois comme un notaire et comme un paysan ; il était coiffé d'un haut-de-forme noir, et portait une longue redingote, des guêtres hautes, et il balançait entre ses doigts un stick de chasse. Il était si grand que son chapeau essuyait le cadre supérieur de la porte que sa corpulence bouchait complètement. Un visage gras, barré de mille rides, brûlé par le soleil, marqué par les pires passions, se tournait alternativement vers Holmes et vers moi ; il avait des yeux enfoncés, bilieux ; son nez décharné, haut et effilé, lui donnait l'air d'un vieil oiseau de proie.

— Lequel de vous est Holmes ? interrogea l'apparition.

— Moi, monsieur. J'attends que vous vous présentiez, répondit calmement mon camarade.

— Je suis le docteur Grimesby Roylott, de Stoke Moran.

— Vraiment, docteur ? dit Holmes avec un grand sang-froid. Prenez un siège, je vous prie.

— Pas de ça ! Ma belle-fille sort d'ici. Je l'ai suivie. Qu'est-ce qu'elle vous a dit ?

— Vous ne trouvez pas qu'il fait un peu trop froid pour cette époque de l'année ? demanda Holmes.

— Qu'est-ce qu'elle vous a dit ? hurla le vieillard.

— Mais on m'a affirmé que les crocus étaient pleins de promesses ! poursuivit mon compagnon, impassible.

— Ah ! vous voulez vous débarrasser de moi ? grommela notre visiteur en marchant sur nous avec des moulinets de son stick. Je vous connais, espèce de coquin ! J'ai déjà entendu parler de vous : Holmes le touche-à-tout, hein ?

Mon ami se borna à sourire.

— Holmes la mouche du coche ?

Son sourire s'élargit.

— Holmes le maître Jacques de Scotland Yard...

Holmes gloussa de joie :

— Votre conversation est passionnante, docteur ! dit-il. Mais quand vous sortirez, fermez donc la porte s'il vous plaît, à cause des courants d'air.

— Je partirai quand je voudrai ! N'ayez pas l'audace de vous mêler de mes affaires ! Je sais que M$^{lle}$ Stoner est venue ici... Je l'ai suivie !

Méfiez-vous : je suis dangereux quand on m'attaque !

Il bondit en avant, s'empara du tisonnier et le courba entre ses grosses mains marron.

— Veillez bien à vous tenir à l'écart de mon chemin ! menaça-t-il.

Il rejeta dans la cheminée le malheureux tisonnier tordu et quitta la pièce.

— Très homme du monde ! fit Holmes en riant. Je ne suis pas tout à fait aussi massif, mais, s'il était resté, je lui aurais volontiers démontré que je n'avais pas une poigne moins redoutable que la sienne.

Tout en parlant, il avait rattrapé le tisonnier, et, d'un seul coup, il le redressa.

— Comme si j'allais me laisser prendre à son insolence ! Peu importe qu'il me confonde, ou non, avec la police officielle : cet incident donne du piquant à notre enquête ! J'espère simplement que notre petite amie n'aura pas à se repentir de l'imprudence qu'elle a commise en n'empêchant pas cette brute de la suivre. Maintenant, Watson, prenons notre petit déjeuner ! Après quoi j'irai dans un endroit où je compte avoir des informations utiles.

Il était près d'une heure quand Sherlock Holmes rentra de sa promenade. Il tenait à la main une feuille de papier bleu, barbouillée de notes et de dessins.

— J'ai vu le testament de la défunte épouse de Roylott, me dit-il. Pour déterminer sa signification exacte, j'ai dû calculer la valeur actuelle des divers placements. Le revenu de l'ensemble, qui à l'époque du décès de cette femme, atteignait presque onze cents livres, n'est plus aujourd'hui, en raison de la chute des prix agricoles, que légèrement supérieur à sept cent cinquante livres. Chaque fille, si elle se marie, peut revendiquer un revenu de deux cent cinquante livres. Il est évident que si les deux filles s'étaient mariées, leur beau-père n'aurait plus eu qu'une maigre pitance à se mettre sous la dent ! Et même le mariage d'une seule d'entre elles aurait été une source de gêne. Mon travail de ce matin n'a pas été inutile puisque j'ai acquis la preuve qu'il avait de bonnes raisons pour s'opposer à un mariage. Watson, ceci est trop grave pour que nous lambinions! Le vieillard sait que nous nous intéressons à ses affaires; si vous êtes prêt, nous allons fréter un fiacre et nous faire conduire à la gare de Waterloo. Je vous serais reconnaissant de bien vouloir glisser votre revolver dans l'une de vos poches. Un Eley 2 est un argument sans réplique quand on a affaire à des gentlemen qui font des nœuds avec mon tisonnier. Votre revolver et nos brosses à dents, je crois que ce sera assez.

A Waterloo, nous eûmes la chance d'attraper un train pour Leatherhead; là nous louâmes un cabriolet à l'auberge de la gare et pendant six ou sept kilomètres nous roulâmes dans la charmante campagne du Surrey. Il faisait magnifiquement beau : un gai soleil, et seulement quelques nuages cotonneux dans le ciel. Sur les arbres et sur les haies qui bordaient notre route, les premiers bourgeons verdissaient; la terre exhalait une délicieuse odeur d'humidité. Moi, au moins, je goûtais l'étrange contraste entre ces exquises promesses du printemps et la sinistre recherche où nous nous étions engagés. Mais mon ami avait baissé son chapeau sur ses yeux et posé son menton sur sa poitrine : il était plongé dans les réflexions les plus profondes. Soudain il me tapa sur l'épaule et me désigna quelque chose dans la plaine :

— Regardez par là !

Un parc très fourni descendait le long d'une pente douce; à son point le plus élevé, les arbres constituaient un bosquet. Au milieu des branches, nous aperçûmes les gris pignons et le toit d'une vieille maison.

— Stoke Moran ? demanda-t-il.

— Oui, monsieur. C'est la demeure du docteur Grimesby Roylott, répondit le cocher.

— C'est bien là qu'il y a un bâtiment en réparation, n'est-ce pas ? Vous nous y arrêterez.

— Voilà le village, dit le conducteur en indiquant un rassemblement de toits sur la gauche. Mais si vous voulez aller au manoir, vous feriez mieux de grimper le raidillon et de prendre le raccourci à travers champs. Voyez-vous, une dame s'y promène.

— La dame, c'est, je suppose, M<sup>lle</sup> Stoner ? dit Holmes. Oui, je crois que vous avez raison.

Nous descendîmes, après avoir payé le prix de notre course, et le cabriolet reprit la route de Leatherhead.

— C'est aussi bien, reprit Holmes tandis que nous gravissions le raidillon, que ce type s'imagine que nous sommes des architectes : la langue le démangera moins... Bon après-midi, mademoiselle Stoner ! Vous voyez que nous avons tenu parole.

Notre cliente du matin avait couru au-devant de nous, et la joie illuminait son visage :

— Je vous attendais avec tant d'impatience ! cria-t-elle en nous serrant chaleureusement les mains. Tout est pour le mieux : le docteur Roylott est allé en ville ; il y a peu de chances pour qu'il soit de retour avant ce soir tard.

— Nous avons eu le plaisir de faire sa connaissance, dit Holmes.

En quelques mots, il mit notre interlocutrice au courant des faits. M<sup>lle</sup> Stoner blêmit.

— Mon Dieu! s'écria-t-elle. Il m'a donc suivie?

— Selon toute apparence, oui.

— Il est si rusé que je ne sais jamais s'il me surveille ou non. Que va-t-il me dire à son retour?

— Il faudra qu'il commence à se méfier! Car il pourrait bien se trouver face à face avec quelqu'un de plus malin que lui. Ce soir, vous vous enfermerez. S'il veut user de violence, nous vous conduirons chez votre tante à Harrow... Pour l'instant, il s'agit d'utiliser au mieux le temps qui nous est imparti: voudriez-vous nous conduire dans les chambres?

Le bâtiment était en pierres grises, avec des murs parsemés de mousse; la partie centrale était élevée, les deux ailes incurvées, comme des pinces de crabe étalées de chaque côté. Dans l'une des ailes, les vitres étaient cassées, et des madriers bloquaient les fenêtres ; le toit révélait une crevasse ; en somme, c'était le château de la ruine.

La partie centrale avait été vaguement restaurée ; le bloc de droite faisait même presque neuf ; des stores aux fenêtres et la fumée bleuâtre qui s'échappait des cheminées indiquaient que la famille résidait là. Une sorte d'échafaudage avait été dressé contre l'extrémité du mur, et il y avait bien un trou dans la pierre, mais lors de notre inspection nous n'aperçûmes aucun ouvrier. Holmes marchait lentement dans le jardin mal entretenu, et il examina très attentivement l'extérieur des fenêtres.

— Celle-ci, je crois, est la fenêtre de la chambre où vous dormiez habituellement ; celle du centre est celle de la chambre de votre sœur ; la dernière, près du bâtiment central, est celle de la chambre du docteur Roylott ?

— Oui. Mais je dors à présent dans la chambre du milieu.

— Tant que dureront les travaux, je suppose ? Au fait, ils ne me paraissent pas bien urgents, ces travaux ?

— Aucune réparation n'était immédiatement nécessaire. Je crois qu'il s'agit là d'un prétexte pour m'obliger à changer de chambre.

— Ah, ah ! Cette suggestion est à retenir... Sur l'autre côté de cette aile s'étend le couloir sur lequel ouvrent les trois portes, n'est-ce pas ?

Mais il y a aussi des fenêtres qui donnent sur le couloir ?

— Oui, mais elles sont très petites : trop étroites pour livrer le passage à quelqu'un.

— Donc, comme vous vous enfermiez toutes les deux la nuit, vos chambres étaient inabordables de ce côté-là. Je vous demanderai maintenant d'avoir la bonté de nous mener à votre chambre et de mettre les barres aux persiennes.

M$^{lle}$ Stoner s'exécuta. Holmes, après avoir soigneusement regardé par la fenêtre ouverte, s'efforça d'ouvrir les persiennes de l'extérieur, mais il n'y parvint pas. Il ne découvrit aucune fente par où un couteau aurait pu se glisser pour soulever la barre. A l'aide de sa loupe, il examina les charnières ; elles étaient en fer solide, solidement encastrées dans la maçonnerie massive.

— Hum ! fit-il en se grattant le menton avec perplexité. Ma théorie se heurte à quelques difficultés. Quand ces persiennes sont fermées avec la barre, personne ne peut s'introduire par la fenêtre... Bien : allons voir si l'intérieur apportera plus d'atouts à notre jeu.

Une petite porte latérale nous conduisit dans le couloir. Holmes refusa de s'intéresser à la troisième chambre, et nous pénétrâmes dans la deuxième, celle où couchait à présent M$^{lle}$ Stoner et où sa sœur avait trouvé la mort. C'était une pièce modeste, exiguë : le plafond était bas et la cheminée béante, comme dans beaucoup de vieilles maisons de campagne. Une commode claire occupait un coin ; un lit étroit avec une courtepointe blanche en occupait un autre ; à gauche de la fenêtre, il y avait une table de toilette. Ces meubles, plus deux petites chaises cannées et un tapis carré au centre, composaient le décor. Les poutres et les panneaux des murs étaient en chêne mangé aux vers ; ils paraissaient dater de la construction même de la maison. Holmes tira une chaise dans un coin, s'assit et silencieusement inspecta chaque détail de la pièce pour les graver dans sa mémoire.

— Où sonne cette sonnette ? demanda-t-il en désignant un gros cordon à sonnette qui pendait à côté du lit, avec le gland posé sur l'oreiller.

— Dans la chambre de bonne.

— Elle a été récemment installée, on dirait...

— Oui ; elle l'a été voici trois ou quatre ans.

— C'est votre sœur qui l'avait réclamée ?

— Non. Je ne crois pas qu'elle s'en soit jamais servie. Nous avions pris l'habitude de nous débrouiller sans domestique.

— Vraiment, je ne vois pas la nécessité d'un aussi joli cordon de sonnette... Excusez-moi, mais je voudrais m'occuper du plancher.

Il se mit à quatre pattes, le visage contre terre, ou plutôt collé à la loupe qu'il promenait sur le plancher. Il examina avec le plus grand soin les interstices entre les lames. Il procéda ensuite à l'inspection des panneaux de bois sur les murs. Enfin il alla vers le lit et le considéra pendant quelques minutes ; son regard grimpa et redescendit le long du mur. Brusquement il empoigna le cordon de sonnette et le tira.

— Tiens, c'est une fausse sonnette ! s'exclama-t-il.

— Elle ne sonne pas?

— Non. Elle n'est même pas reliée à un fil. Très intéressant! Regardez vous-même : le cordon est attaché à un crochet juste au-dessus de la petite ouverture de la bouche d'aération.

— C'est absurde! Mais je ne l'avais pas remarqué!

— Très étrange! marmonna Holmes, pendu au cordon de sonnette. Il y a un ou deux détails bien surprenants dans cette chambre! Par exemple, il faut qu'un architecte soit fou pour ouvrir une bouche d'aération vers une autre pièce, alors qu'il aurait pu, sans davantage de travail, l'ouvrir sur l'extérieur!

— Cela aussi est très récent, indiqua M<sup>lle</sup> Stoner.

— Aménagé à la même époque que la sonnette?

— Oui. Il y a eu diverses modifications légères apportées dans cette période-là.

— Curieuses, ces modifications! Un cordon à sonnette qui ne sonne pas, un ventilateur qui ne ventile pas... Avec votre permission, mademoiselle Stoner, nous allons maintenant nous transporter dans l'autre chambre.

La chambre du docteur Grimesby Roylott était plus grande que celle de sa belle-fille, mais elle n'était guère mieux meublée. Un lit de camp, une petite étagère chargée de livres pour la plupart d'un caractère technique, un fauteuil près du lit, une chaise en bois plein contre le mur, une table ronde et un gros coffre en fer étaient les principales choses qui frappaient le regard. Holmes fit le tour de la pièce en examinant chaque objet avec la plus grande attention.

— Qu'y a-t-il là-dedans? demanda-t-il en posant sa main sur le coffre.

— Les papiers d'affaires de mon beau-père.

— Oh! vous avez vu l'intérieur?

— Une fois, il y a plusieurs années. Je me rappelle qu'il était plein de papiers.

— Il ne contient pas un chat, par hasard?

— Un chat? Non. Quelle idée...

— Parce que... Regardez!

Il montra un bol de lait qui était posé sur le coffre.

— Non, nous n'avons pas de chat. Mais il y a ici un guépard et un babouin.

— Ah! oui, c'est vrai! Après tout, un guépard ressemble à un gros chat; mais un bol de lait ne lui suffirait guère, j'imagine! Il y a un point que je voudrais bien éclaircir...

Il s'accroupit devant la chaise de bois et en examina le siège de très près.

— Merci ! Voilà qui est réglé, dit-il en se relevant et en remettant sa loupe dans sa poche. Tiens ! quelque chose d'intéressant...

L'objet qui avait capté son regard était une courte lanière pendue à un coin du lit. La lanière, cependant, était enroulée sur elle-même à une extrémité comme pour faire un nœud coulant.

— Qu'est-ce que vous en pensez, Watson ?

— C'est une laisse à chien assez banale. Mais je ne vois pas pourquoi ce nœud...

— Pas si banale que cela, n'est-ce pas ? Ah ! mon cher, le monde est bien méchant ! Et quand un homme intelligent voue au crime son intelligence, il devient le pire de tous !... Je crois que nous avons vu assez, mademoiselle Stoner. Si vous nous autorisez, nous ferons maintenant un tour de jardin.

Jamais je n'avais vu sur mon ami une expression aussi farouche, ni aussi sombre, lorsque nous quittâmes le lieu de ses dernières investigations. Nous avions traversé à plusieurs reprises la pelouse, et ni M<sup>lle</sup> Stoner ni moi n'avions osé interrompre le cours de ses méditations. Il sortit enfin de son silence :

— Il est absolument essentiel, mademoiselle Stoner, que vous suiviez à la lettre mes instructions.

— Je m'y conformerai certainement.

— L'affaire est trop grave pour nous permettre la moindre hésitation. Votre vie est en jeu :

son sort dépend de la manière dont vous vous conformerez à mes conseils.

— Je vous assure que je m'en remets absolument à vous !

— Première chose : mon ami et moi-même devons passer la nuit dans votre chambre.

Nous dévisageâmes Sherlock Holmes tous les deux avec une stupéfaction égale.

— Oui. Il le faut ! Laissez-moi vous expliquer. Je crois que l'auberge du village est par là ?

— Oui. L'Auberge de la Couronne.

— Bien. Votre fenêtre est-elle visible de l'auberge ?

— Oui.

— Vous serez enfermée dans votre chambre quand votre beau-père rentrera : une migraine atroce ! Bon. Quand vous l'entendrez se coucher, vous ouvrirez les persiennes de votre fenêtre, vous déferez l'espagnolette, vous présenterez votre lampe ; ce sera un signal pour nous. Puis vous vous retirerez avec tout ce que vous désirez emporter dans la chambre où vous dormez habituellement. Malgré les travaux, vous pourrez bien y passer une nuit, n'est-ce pas ?

— Bien sûr !

— Pour le reste, laissez-nous faire.

— Mais que ferez-vous ?

— Nous passerons la nuit dans votre chambre, et nous identifierons la cause de ce bruit qui vous a tant épouvantée.

— Je crois, monsieur Holmes, que vous avez déjà une idée, dit M<sup>lle</sup> Stoner en posant sa main sur la manche de mon ami.

— C'est en effet possible.

— Et... une idée précise ! Oh ! par pitié, dites-moi de quoi ma sœur est morte !

— Je préfère avoir des preuves formelles avant de vous le dire.

— Dites-moi au moins si j'ai eu raison de croire qu'elle est morte de peur !

— Non. Je ne crois pas que vous ayez raison. Je crois à une cause plus tangible. Mais pour l'instant, mademoiselle Stoner, il faut que nous nous quittions : si votre beau-père revient et nous trouve ici, notre déplacement aura été inutile. Au revoir ! Et soyez courageuse, car si vous faites ce que je vous ai conseillé de faire, je vous promets que nous écarterons tous les dangers qui vous menacent !

Nous n'éprouvâmes aucune difficulté, Sherlock Holmes et moi, à louer une chambre et un salon à l'Auberge de la Couronne. Cet « appartement » était situé au premier étage ; si bien que, de notre fenêtre, nous avions vue sur la porte d'entrée et sur l'aile habitée du manoir de Stoke Moran. A la nuit tombante, nous aperçûmes le docteur Grimesby Roylott qui franchissait le seuil de sa propriété : sa haute silhouette semblait écraser celle du cocher qui le conduisait. Le cocher eut du mal à faire jouer les lourdes portes de fer, et nous entendîmes le rugissement du docteur : nous pûmes même le voir menacer de ses poings le malheureux conducteur. Puis la voiture se remit en marche ; quelques instants plus tard, une lumière brilla à travers les arbres : une lampe avait été allumée dans l'un des salons.

— Sérieusement, Watson, me dit Holmes alors que nous étions en train de contempler la nuit, savez-vous que j'ai quelques remords à vous avoir emmené ce soir ? Il y a certainement du danger dans l'air !

— Est-ce que je pourrai vous aider ?

— Votre présence peut s'avérer déterminante.

— Alors je vous suivrai.

— C'est très chic de votre part.

— Vous avez parlé de danger… Evidemment vous avez vu dans ces chambres bien plus que je n'y ai vu moi-même !

— Non. Ce qui est possible, c'est que j'aie poussé mes déductions plus loin que vous. Mais nous avons vu les mêmes choses, vous et moi.

— Je n'ai rien vu de particulier, sauf ce cordon à sonnette dont l'installation répond à un but que je suis incapable de définir.

126

— Vous avez vu aussi la bouche d'aération?

— Oui. Mais je ne vois pas ce qu'il y a d'extraordinaire à établir une sorte de communication entre deux pièces : le trou est si petit qu'un rat pourrait à peine s'y glisser.

— Je savais, avant d'arriver à Stoke Moran, que nous trouverions une bouche d'aération.

— Mon cher Holmes!...

— Oui, oui, je le savais! Rappelez-vous que, dans la déclaration de M<sup>lle</sup> Stoner, il y avait ce trait que sa sœur était incommodée par l'odeur des cigares du docteur Roylott. D'où la nécessité absolue d'une communication quelconque entre les deux chambres. Communication qui ne pouvait être que petite : sinon, elle aurait été repérée lors de l'enquête menée par le coroner. J'avais conclu qu'il s'agissait d'une bouche d'aération.

— Soit. Mais quel mal voyez-vous à cela?

— Tout de même il y a d'étranges coïncidences de dates. Voici une bouche d'aération qui est aménagée, un cordon qui pend, et une demoiselle, couchée dans son lit, qui meurt. Ça ne vous frappe pas?

— Je ne vois pas le lien.

— Vous n'avez rien observé de particulier à propos du lit?

— Non.

— Il est chevillé au plancher. Avez-vous déjà vu un lit attaché ainsi?

— Je ne crois pas.

— La demoiselle ne pouvait pas remuer son lit, le déplacer. Il devait par conséquent être maintenu toujours dans la même position par rapport à la bouche d'aération et au cordon, ou plutôt à la corde, puisque cet objet n'a jamais servi à sonner une cloche ou actionner une sonnerie.

— Holmes ! m'écriai-je. Il me semble que je devine obscurément le sens de vos paroles. Mon Dieu ! Nous sommes arrivés à temps pour empêcher un crime aussi subtil qu'horrible.

— Oui, plutôt subtil et plutôt horrible ! Quand un médecin s'y met, Watson, il est le pire des criminels. Il possède du sang-froid, et une science incontestable. Palmer et Pritchard faisaient partie de l'élite de leur profession... Cet homme les dépasse, pourtant ! Mais je crois, Watson, que nous serons plus forts que lui. Je crois aussi que, d'ici le lever du jour, nous ne manquerons pas de sujets d'horreur. Au nom du Ciel, fumons paisiblement une bonne pipe, et cherchons-nous pendant quelques moments des sujets de conversation plus agréables !

Vers neuf heures du soir, la lumière parmi les arbres s'éteignit, et l'obscurité se fit totale dans la direction du manoir. Deux heures s'écoulèrent avec une lenteur irritante ; puis tout à coup, comme sonnaient onze heures, une lumière isolée jaillit faiblement juste en face de nous.

— Notre signal ! dit Holmes en sautant sur ses pieds. Il vient de la fenêtre du milieu.

En sortant, nous prévînmes notre logeur que nous allions rendre une visite tardive à une connaissance dans les environs, et qu'il n'était pas impossible que nous y passions la nuit. Puis nous nous engageâmes sur la route noire ; un vent glacé nous fouettait le visage ; c'était sinistre ! Seule une maigre lueur jaune guidait notre marche à travers l'obscurité.

Nous pénétrâmes facilement dans le domaine, car le vieux mur d'enceinte était troué de nombreuses brèches. Nous avançâmes à travers les arbres, nous atteignîmes la pelouse, la franchîmes, et nous allions enjamber la fenêtre quand jaillit d'un bosquet de lauriers ce qui nous sembla être un enfant hideux tout tordu : il se lança sur la pelouse à quatre pattes et disparut dans la nuit.

— Seigneur ! murmurai-je. Vous avez vu, Holmes ?

Pendant une seconde, Holmes resta figé de stupeur. Il avait posé sa main sur mon poignet et l'avait serré comme une tenaille. Puis il le lâcha, et il rit tout bas en me chuchotant à l'oreille :

— Charmante maison ! C'était le babouin...

J'avais oublié les étranges manies du docteur. C'est vrai : il possédait un babouin, et aussi un guépard. Peut-être ce dernier bondirait-il sur nos épaules au moment où nous nous y attendrions le moins. J'avoue bien volontiers que je me sentis l'esprit plus libre quand, après avoir suivi l'exemple de Holmes et m'être déchaussé, je me trouvai dans la chambre à coucher. Sans un bruit, mon camarade referma les persiennes, remit la lampe sur la table et jeta un coup d'œil autour de la pièce. Tout était dans le même état que l'après-midi. Holmes se glissa auprès de moi, mit sa main en cornet contre mon oreille, et les seuls mots que je compris furent :

— Le moindre bruit peut nous être fatal.

Je lui fis un signe de tête pour lui indiquer que j'avais entendu.

— Nous devons rester assis sans lumière. Il pourrait la voir par la bouche d'aération.

Nouveau signe de tête.

— Ne vous endormez pas. Votre vie peut dépendre d'un moment d'inattention. Mettez votre revolver à portée de la main : vous aurez peut-être à vous en servir. Je m'assieds à côté du lit. Vous, prenez cette chaise.

Je sortis mon revolver et le plaçai sur le coin de la table.

Holmes avait apporté un jonc long et mince ; il le posa à côté de lui sur le lit, non loin de la boîte d'allumettes et d'une bougie. Puis il éteignit la lampe et nous sombrâmes dans l'obscurité.

Comment pourrai-je jamais oublier cette terrible veille ? Je n'entendais pas un bruit : même pas le souffle de mon compagnon, dont je savais pourtant qu'il était assis tout près de moi, les yeux grands ouverts, et dévoré par une tension semblable à la mienne. Les persiennes étaient absolument hermétiques ; nous étions plongés dans une nuit totale. Parfois, de l'extérieur, nous parvenait le hululement d'un nocturne ; sous notre fenêtre nous entendîmes même une sorte de miaulement prolongé : le guépard était vraiment en liberté ! L'horloge de la paroisse voisine, tous les quarts d'heure, tintait lugubrement. Ah ! qu'ils étaient longs, ces quarts d'heure ! Minuit, puis une heure, puis deux heures, puis trois heures sonnèrent : nous n'avions pas bougé de place ; nous étions prêts à tout.

Subitement, du côté de la bouche d'aération, surgit un rayon lumineux qui disparut aussitôt ; immédiatement lui succéda une forte odeur d'huile brûlante et de métal chauffé. Dans la chambre voisine, quelqu'un avait allumé une lanterne sourde. J'entendis un léger bruit qui se déplaçait, puis tout redevint silencieux comme avant ; mais l'odeur se faisait plus forte. Pendant une demi-heure je restai assis l'oreille tendue. Alors soudain un autre bruit se fit entendre : un son très léger, très doux, quelque chose comme un petit jet de vapeur qui s'échappe d'une bouilloire. Au moment où nous l'entendîmes, Holmes sauta du lit, gratta une allumette, et frappa de son jonc avec fureur le cordon de sonnette.

— Vous le voyez, Watson ? hurla-t-il. Vous le voyez ?

Mais je ne voyais rien. Lorsque Holmes avait allumé l'allumette, j'avais entendu un sifflement distinct quoique étouffé, mais la lueur brusque m'avait ébloui, et il m'était impossible d'identifier ce qu'il flagellait avec une telle sauvagerie. Je pus apercevoir, toutefois, la pâleur de son visage, bouleversé d'horreur et de dégoût.

Il s'était arrêté de frapper, et il avait les yeux levés vers la bouche d'aération, quand le cri le plus horrifié que j'aie jamais entendu déchira soudain le silence de la nuit. Le cri monta, s'enfla : un hurlement sauvage fait de douleur, de terreur et de colère. Dans le village et même plus loin, on affirma plus tard que ce cri avait fait sauter du lit des gens qui dormaient. Il glaça nos cœurs. Interdit, pétrifié, je regardai Holmes ; et lui, toujours blanc comme un linge, me regarda... Nous écoutâmes les derniers échos décroître et se perdre dans le silence qu'il avait brisé.

— Qu'est-ce que c'est ? bégayai-je alors.

— Tout est consommé ! répondit Holmes. Après tout, peut-être pour le mieux ? Prenez votre revolver et entrons chez le docteur Roylott.

Il avait sur ses traits une implacable gravité quand il alluma la lampe. Deux fois il frappa à la porte de la chambre sans recevoir de réponse. Ce que voyant il tourna le loquet et entra ; je le suivis pas à pas, mon revolver armé à la main.

Ce fut un singulier spectacle qui s'offrit à nos yeux. Sur la table il y avait une lanterne sourde avec le volet à demi ouvert, et elle éclairait le coffre de fer dont la porte était entrebâillée. A côté de la table, sur la chaise de bois, était assis le docteur Grimesby Roylott ; il était vêtu d'une longue robe de chambre grise, sous laquelle dépassaient ses chevilles nues ; il avait aux pieds des babouches rouges. En travers de ses cuisses était posée la longue lanière que nous avions remarquée dans l'après-midi. Son menton pointait en l'air, et son regard s'était horriblement immobilisé sur un angle du plafond. Son front était ceint d'un ruban jaune bizarre, avec des taches brunes, qui paraissait lui serrer très fort

la tête. Quand nous entrâmes, il ne bougea ni
ne parla.

— Le ruban ! Le ruban moucheté ! chuchota
Holmes.

J'avançai d'un pas. Au même moment,
l'étrange turban se déplaça, se dressa à la
verticale au milieu des cheveux : la tête triangu-
laire et trapue d'un serpent au cou enflé
apparut.

— C'est une vipère de marais ! cria Holmes.
Le serpent le plus mortel des Indes ! Le docteur
est mort moins de dix secondes après avoir été
mordu... Ah ! la violence retombe bien sur le
violent ! Et tel est pris qui croyait prendre...
Ramenons cette bête dans son antre ; après
quoi nous mettrons M$^{lle}$ Stoner à l'abri, et nous
irons faire notre rapport à la police.

Tout en parlant, il s'était emparé promptement de la lanière que le vieillard avait sur ses genoux, il passa le nœud autour du cou du reptile, le détacha de sa proie et, à bout de bras, le rejeta dans le coffre-fort qu'il referma soigneusement.

Tels sont les faits réels qui concernent la mort du docteur Grimesby Roylott. Point n'est besoin que je prolonge un récit qui n'a déjà que trop duré en contant comment nous apportâmes les nouvelles à la jeune fille épouvantée, comment nous l'accompagnâmes dès le matin chez sa tante de Harrow, ni comment l'enquête de police conclut que le docteur avait été victime de son imprudence en jouant avec l'un de ses favoris. Le peu que j'avais encore à apprendre de l'affaire me fut narré par Sherlock Holmes, pendant notre voyage de retour.

— J'en étais arrivé, m'expliqua-t-il, à une conclusion entièrement erronée. Ce qui montre, mon cher Watson, combien il est périlleux de raisonner à partir de prémisses incomplètes. La présence des romanichels et le mot « ruban » dont se servit la jeune Julie pour tenter de donner une définition de ce qu'elle avait pu apercevoir à la lueur de son allumette me mirent sur une piste ridiculement fausse. Mon seul mérite est d'avoir instantanément révisé mon jugement lorsque je fus convaincu que le danger qui menaçait l'occupante de la chambre ne pouvait venir de l'extérieur ni par la fenêtre ni par la porte. Cette bouche d'aération et ce cordon de sonnette qui pendait juste au-dessus du lit avaient rapidement éveillé mon

attention. Quand je me rendis compte que c'était un faux cordon de sonnette et que le lit était chevillé au plancher, le soupçon me vint aussitôt que le cordon servait de passerelle à quelque chose se faufilant à travers la bouche d'aération et arrivant jusqu'au lit. Je pensai à un serpent, naturellement, et lorsque je reliai cette hypothèse avec le fait que le docteur avait un assortiment d'animaux des Indes, je me crus sur la bonne voie. Seul un homme impitoyable et intelligent qui était allé en Orient pouvait avoir eu l'idée d'utiliser une sorte de poison que la chimie est impuissante à déceler. L'effet foudroyant d'un tel poison était également un avantage ! Il aurait fallu que le coroner eût de bons yeux pour apercevoir les deux petites taches noirs qui lui auraient indiqué l'endroit où les crochets empoisonnés avaient fait leur œuvre. Puis je réfléchis au sifflement. Evidemment, le docteur devait appeler le serpent avant que la lumière du jour ne pût le révéler à sa victime. Il l'avait dressé, sans doute grâce au lait que nous avons vu sur le coffre-fort, à revenir dès qu'il le sifflait. Il le faisait passer par la bouche d'aération à l'heure qu'il jugeait la meilleure, et il était bien sûr que le serpent ramperait le long de la corde et atterrirait sur le lit. La question était de savoir s'il mordrait ou ne mordrait pas la dormeuse. Peut-être a-t-elle échappé pendant toute une semaine à son destin, mais tôt ou tard elle devait succomber.

» J'avais abouti à ces conclusions avant d'entrer dans la chambre du docteur. L'inspection de sa chaise me prouva qu'il avait l'habitude de grimper sur ce siège, ce qui lui était indispensable pour atteindre la bouche d'aération. Le coffre-fort, le bol de lait, la lanière et son nœud coulant suffirent à ôter tous les doutes, qui auraient pu subsister dans mon esprit. Le bruit métallique entendu par M<sup>lle</sup> Stoner fut produit sans nul doute par la porte du coffre-fort que le docteur refermait en hâte sur son terrible locataire. Ayant tout deviné, je pris les dispositions que vous m'avez vu prendre afin d'avoir la preuve de ce que je supposais. J'entendis le bruissement de la bête qui glissait le long du cordon ; vous avez dû l'entendre aussi ; aussitôt j'ai frotté une allumette et je suis passé à l'attaque.

— Avec, pour résultat, sa retraite à travers la bouche d'aération ?

— Et, comme deuxième résultat, celui de l'avoir fait se retourner vers son maître. Quelques-uns de mes coups de canne ont dû l'atteindre, le rendre furieux, et, comme tout serpent furieux, il a attaqué la première personne qu'il a vue. Si vous voulez, je m'avoue responsable, indirectement, du décès du docteur Grimesby Roylott ; mais c'est une responsabilité qui ne pèse pas lourd sur ma conscience !

# LE POUCE
## DE L'INGÉNIEUR

De tous les problèmes que mon ami Sherlock Holmes a été sollicité de résoudre au cours des années où nous étions intimement liés, deux seulement lui ont été soumis par moi. La folie du colonel Warburton a certes fourni à cet observateur sagace et original un merveilleux sujet ; mais l'affaire du pouce de M. Hatherley a commencé de façon si étrange, et elle s'est révélée si dramatique dans certains de ses détails, qu'elle mérite d'être contée ici.

Plus d'une fois les journaux l'ont évoquée, c'est vrai. Il me semble toutefois que, comprimé en une demi-colonne, un récit est beaucoup moins frappant que lorsque les faits évoluent lentement devant le lecteur, et que le mystère se dissipe progressivement pour céder devant la vérité complète. A l'époque, les circonstances que je vais exposer m'avaient vivement impressionné ; deux ans ont passé ; leur effet ne s'est qu'à peine atténué.

En 1889, je venais de me marier. Revenu à l'exercice de la médecine civile, j'avais abandonné Holmes et notre appartement de Baker Street : non sans lui rendre toutefois de fréquentes visites ; j'avais même réussi à lui faire renoncer périodiquement à la bohème où il se complaisait puisqu'il lui arrivait d'accepter nos invitations à la maison. Ma clientèle augmentait régulièrement ; comme j'habitais assez près de la gare de Paddington, j'avais parfois des malades qui appartenaient aux Chemins de fer britanniques. L'un d'entre eux, que j'avais guéri d'une maladie chronique et douloureuse, chantait inlassablement mes louanges, et chaque fois qu'il le pouvait, il m'adressait des clients nouveaux.

Un matin d'été, un peu avant sept heures, je fus réveillé par la bonne, qui frappait à ma porte : deux hommes venaient d'arriver de Paddington, paraît-il, et m'attendaient dans le salon de consultations. Je m'habillai en hâte, car l'expérience m'avait appris que, dès qu'il s'agissait du personnel des chemins de fer, les soins étaient généralement urgents. Comme je descendais quatre à quatre l'escalier, mon vieux supporter, un chef de train, sortit du salon et referma soigneusement la porte derrière lui.

— Je l'ai eu ! murmura-t-il en agitant son pouce par-dessus son épaule. Il est parfait.

— De quoi s'agit-il ? demandai-je.

Sa mimique m'avait suggéré qu'il venait d'enfermer dans mon salon de consultations quelque créature étrange. Mais il me rassura :

— D'un nouveau client. J'ai pensé qu'il

valait mieux que je l'accompagne : comme ça il
ne pouvait pas s'échapper. Il est là, donc tout va
bien. Maintenant il faut que je parte, docteur :
moi aussi, j'ai mon travail qui m'attend !

Et mon rabatteur s'en fut si vite que je n'eus
même pas le temps de lui dire merci.

J'entrai dans le salon : un gentleman y était
assis près de la table ; fort convenablement vêtu
d'un costume de tweed couleur de bruyère, il
avait posé son chapeau sur mes livres. Un
mouchoir enveloppait l'une de ses mains ; j'y
remarquai des taches de sang. Il était jeune : je
lui accordai vingt-cinq ans. Il avait le visage
viril, mais il était très pâle, comme quelqu'un
sous l'effet d'une vive agitation et qui emploie-
rait toute sa volonté pour la maîtriser.

— Je suis désolé de vous déranger si tôt, docteur ! dit-il. Mais cette nuit j'ai été victime d'un accident assez grave. Je suis arrivé par le train du matin. A la gare de Paddington, je me suis renseigné pour savoir où je pourrais trouver un médecin, et un employé complaisant a bien voulu m'accompagner jusqu'ici. J'ai remis à la bonne ma carte de visite, mais je vois qu'elle l'a laissée sur la table.

Je la pris et lus : « M. Victor Hatherley, ingénieur en hydraulicité, 16a, Victoria Street, 3e étage. » Tels étaient le nom, la profession et l'adresse de mon visiteur du matin.

— Je regrette de vous avoir fait attendre, répondis-je en m'asseyant sur mon tabouret. Vous venez donc d'accomplir un voyage de nuit ? C'est en soi une occupation bien monotone...

— Oh ! je ne puis guère affirmer que ma nuit a été monotone ! dit-il en riant.

Il avait le rire joyeux, qui sonnait haut, un peu trop haut !... Il s'enfonça dans le fauteuil et se tint les côtes : tous mes instincts de médecin se hérissèrent contre ce rire.

— Stop ! lui criai-je. Du calme !

Et je lui versai dans un verre un peu d'eau.

Précaution inutile : il ne se contrôlait plus ; une crise d'hystérie s'était déclenchée. Il en est ainsi parfois lorsque des tempéraments forts sont aux prises avec un événement grave, en train de se passer ou à peine passé. Pourtant il recouvra bientôt ses esprits : il m'apparut las ; ses joues brûlaient de fièvre.

— J'avais perdu la tête, murmura-t-il.

— Mais non! Buvez ceci, ordonnai-je en ajoutant dans le verre d'eau une rasade de cognac.

— Ça va mieux! Maintenant, docteur, auriez-vous l'obligeance de vous occuper de mon pouce, ou plutôt de l'endroit où se trouvait mon pouce...

Il défit le mouchoir et me tendit sa main. J'avais beau avoir les nerfs endurcis, je ne pus réprimer un sursaut. Quatre doigts pointaient vers moi, et, à côté, une horrible surface spongieuse toute rouge : là, il y avait eu un pouce, qui avait été tranché, ou arraché, à la racine.

— Mon Dieu! m'écriai-je. Mais c'est une blessure terrible! Vous avez dû perdre beaucoup de sang.

— Oui, j'en ai perdu pas mal. Je me suis évanoui quand cela m'est arrivé, et je crois que je suis resté un bon moment sans connaissance. Quand je suis revenu à moi, je saignais encore ; alors j'ai entortillé mon mouchoir autour du poignet, j'ai serré très fort, et je l'ai tendu avec un bout de bois.

— Très bien! Vous auriez dû vous faire chirurgien.

— C'est une question d'hydraulique, vous comprenez? J'étais donc dans ma partie.

— Cette blessure a été provoquée, observai-je en regardant la plaie, par un instrument très lourd et très tranchant.

— Quelque chose comme un couperet, dit-il.

— Un accident, sans doute?

— Pas du tout!

142

— Comment ? Une agression criminelle, alors ?

— Très criminelle, je vous assure !

— Vous m'épouvantez !

Je me mis en devoir de nettoyer la plaie et de la panser. Il était penché en arrière, il ne bronchait pas ; de temps à autre il se mordait les lèvres.

— Comment vous sentez-vous ? demandai-je quand j'eus fini.

— Magnifiquement bien ! Avec votre cognac et votre pansement, je me sens tout neuf. J'étais très affaibli. Il est vrai qu'il y avait de quoi !

— Vous feriez peut-être mieux de ne pas

parler de ce qui vous est arrivé : ce serait infliger à vos nerfs une nouvelle épreuve...

— Oh! non. Maintenant ça va. D'ailleurs je vais être obligé de raconter mon aventure à la police. Mais entre nous, si je n'apportais pas la preuve convaincante de ma blessure, ils ne me croiraient pas. C'est une histoire extraordinaire, et je n'ai pas grand-chose de positif pour en étayer la vraisemblance. En admettant qu'ils finissent par me croire, les indices que je suis à même de leur fournir sont tellement vagues que je doute que justice soit faite un jour!

— Ah! m'écriai-je. Si vous souhaitez voir élucider un mystère, je ne saurais trop vous recommander d'aller chez mon ami, M. Holmes, avant de vous rendre à la police officielle.

— J'ai déjà entendu parler de cet homme-là, répondit mon client. Ma foi, je ne demanderais pas mieux qu'il prît mon affaire en main! Pourtant je dois saisir la police officielle également. S'il est votre ami, pourriez-vous me donner un mot d'introduction?

— Je vais faire mieux : je vais vous conduire chez lui.

— Je vous en serai infiniment obligé!

— Nous allons prendre un fiacre et nous le verrons ensemble. C'est exactement l'heure où nous aurons la chance de prendre avec lui notre petit déjeuner. Vous êtes d'accord?

— Oui. Je ne récupérerai vraiment que lorsque j'aurai raconté mon histoire.

— Ma bonne va s'occuper du fiacre ; moi, je vous rejoins dans un instant.

Je grimpai dans mes appartements privés et résumai en quelques mots l'affaire pour ma femme. Moins de cinq minutes après, je me trouvais dans une voiture qui me conduisait, en compagnie de ma nouvelle connaissance, vers Baker Street.

Comme je m'y attendais, Sherlock Holmes flânait en robe de chambre dans son salon. Il était en train de lire les annonces personnelles du *Times* tout en fumant une première pipe, qu'il composait de tous les mégots de la veille ramassés dans les cendriers : car il les triait le soir avec soin, les mettait sur la cheminée à sécher et les récoltait le lendemain. Il nous reçut avec son amabilité coutumière, commanda du lard frais et des œufs, et nous prîmes ensemble un copieux petit déjeuner. Après quoi il invita notre hôte à s'asseoir sur le canapé ; il eut même la prévenance de disposer un oreiller sous sa tête et de placer un verre d'eau avec du cognac à portée de sa main.

— Il n'est pas difficile de deviner que votre récit ne sera pas banal, dit-il en s'adressant à M. Hatherley. Je vous prie de vous installer ici comme chez vous. Vous nous direz ce que vous pourrez nous dire. Vous vous arrêterez quand vous vous sentirez fatigué. Si vous avez besoin d'un tonique, n'hésitez pas !

— Merci, répondit mon malade. Mais depuis que le docteur m'a pansé, je me sens beaucoup mieux, et ce petit déjeuner m'a remis tout à fait d'aplomb. Je vous prendrai le moins de temps possible...

Holmes s'assit dans son fauteuil avec l'expression un peu lasse et blasée qui dissimulait son naturel curieux, avide. Moi, je pris place en face de lui, et silencieusement nous écoutâmes l'histoire bizarre que notre visiteur nous conta :

— Apprenez d'abord, commença-t-il, que je suis orphelin et célibataire. J'habite seul dans un meublé à Londres. J'exerce la profession d'ingénieur en hydraulicité, et je me suis bien préparé à mon métier pendant les sept années où j'ai travaillé comme apprenti chez Venner et Matheson, la firme connue de Greenwich. Il y a deux ans, après avoir fait mon temps, j'héritai d'une belle somme d'argent à la mort de mon pauvre père, et je décidai de m'établir à mon compte ; je louai donc un local commercial dans Victoria Street.

» Il est probable que tous ceux qui débutent dans les affaires connaissent des ennuis. Les miens ont été particulièrement pénibles. En deux ans, je n'ai donné que trois consultations et je n'ai réalisé qu'une toute petite affaire : voilà tout ce que mon métier m'a rapporté. En gros, mes recettes se sont élevées à vingt-sept livres dix shillings. Chaque jour, de neuf heures du matin jusqu'à quatre heures de l'après-midi, j'attendais le client dans mon petit bureau : jusqu'au moment où le désespoir m'envahit ; j'en étais arrivé à croire que je ne me ferais jamais une clientèle.

» Hier toutefois, alors que j'étais en train de penser que je ferais aussi bien de fermer mon bureau et de prendre l'air, mon commis vint m'annoncer qu'un gentleman désirait me voir pour affaire. Ce gentleman lui avait remis une

carte ; elle était gravée au nom du colonel
Lysander Stark. Sur ses talons entra ledit colonel. C'était un homme d'une taille au-dessus de
la moyenne, mais d'une maigreur exceptionnelle. Je ne crois pas avoir jamais vu un homme
aussi maigre : pour visage il n'avait qu'un nez et
un menton ; la peau de ses joues menaçait de
craquer sur ses mâchoires proéminentes. Une
telle maigreur ne paraissait pas due à la maladie, car son regard était clair, son pas vif, et sa
démarche assurée. Il était vêtu avec sobriété,
mais convenablement ; il devait être plus près
de la quarantaine que de la trentaine.

» — Monsieur Hatherley ? dit-il avec un

accent vaguement germanique. Vous m'avez été recommandé, monsieur Hatherley, comme un homme qui non seulement est capable dans son métier, mais aussi qui est discret.

» Je m'inclinai ; tous les jeunes gens auraient été flattés d'un tel compliment. Et je lui demandai qui lui avait fourni d'aussi bons renseignements sur mon compte.

» — Oh ! peut-être est-il préférable que je ne vous le dise pas pour l'instant ! répondit-il. Mais je sais par la même source que vous êtes orphelin et célibataire, et que vous habitez Londres.

» — Tout ceci est exact, dis-je. Mais vous m'excuserez si j'ajoute que je ne vois pas comment mes qualités professionnelles vous sont connues. Or, n'est-ce pas pour une question professionnelle que vous êtes venu me consulter ?

» — Certainement. Mais vous comprendrez plus tard que ces préambules m'y amènent. J'ai une affaire pour vous ; une discrétion absolue en est la contrepartie indispensable. Vous m'entendez ? *Une discrétion absolue !* Mais nous avons pensé que vous qui vivez seul pouvez observer une discrétion absolue plus facilement que quelqu'un qui vit au sein d'une famille.

» — Si je vous promets de garder un secret, dis-je, vous pouvez vous fier totalement à ma parole.

» Tout en me parlant, il me regardait fixement ; je ne me rappelais pas avoir rencontré jusqu'ici deux yeux aussi soupçonneux et aussi interrogatifs.

» — Donc vous me donnez votre parole? dit-il.

» — Oui.

» — Vous garderez le silence le plus absolu et le plus total maintenant, pendant et après? Jamais aucune allusion, ni verbalement, ni par écrit?

» — Je vous ai déjà donné ma parole d'honneur!

» — Très bien.

» Il se leva d'un bond, traversa la pièce comme un éclair, et ouvrit la porte : dans l'entrée il n'y avait plus personne.

» — Bien! fit-il en revenant s'asseoir. Je sais par expérience que les secrétaires sont parfois terriblement intéressés par les affaires de leurs patrons. A présent, nous pouvons discuter.

» Il rapprocha sa chaise tout contre la

mienne, et de nouveau son regard soupçonneux et interrogatif se posa sur moi.

» La moutarde commençait à me monter au nez ; les manières de ce maigrichon soulevaient en moi de la répugnance et un sentiment voisin de la peur. L'éventualité d'un client perdu ne m'empêcha pas de témoigner de quelque impatience :

» — Je vous prie de bien vouloir me détailler l'affaire qui vous amène, monsieur, lui-dis-je. Je n'ai guère de temps pour les balivernes.

» Que le Ciel me pardonne cette dernière phrase ! Les mots étaient venus tout seuls à mes lèvres.

» — Est-ce que cinquante guinées vous conviendraient pour une nuit de travail ? me demanda-t-il.

» — Parfaitement.

» — J'ai dit une nuit de travail ; en réalité une heure de travail serait plus conforme à la vérité. J'ai simplement besoin de votre opinion sur une presse hydraulique qui est déréglée. Si vous nous montrez ce qui ne va pas, nous la réparerons nous-mêmes. Ce tarif vous plaît-il ?

» — Le travail me semble mince en comparaison de la rétribution.

» — C'est ainsi. Nous voudrions que vous veniez ce soir par le dernier train.

» — Venir où ?

» — A Eyford, dans le Berkshire. C'est un petit endroit à la lisière de l'Oxfordshire, et à moins de dix kilomètres de Reading. De Paddington, il y a un train qui vous fera arriver vers onze heures et quart.

» — Bon.

» — Je viendrai vous prendre en voiture à la gare.

» — Ah ! il y aura donc une petite course ?

» — Oui. Nous sommes un peu à l'écart : à une dizaine de kilomètres de la gare de Eyford.

» — Alors nous n'arriverons guère avant minuit. Je suppose qu'il n'y a pas de train pour rentrer : je devrai donc passer la nuit là-bas ?

» — Oui. Nous pourrons vous donner un lit.

» — C'est bien compliqué ! Ne pourrais-je pas venir à une autre heure, moins incommode ?

» — Nous avons pensé que le mieux serait que vous veniez tard. C'est pour vous dédommager de tous ces inconvénients que nous payons un tarif si élevé à un jeune homme à peu près inconnu. Bien des spécialistes à la tête de votre profession seraient contents de donner une consultation pour ce prix-là ! D'ailleurs, si l'affaire ne vous tente pas, vous n'avez qu'un mot à dire.

» Je réfléchis aux cinquante guinées, à l'usage que j'en ferais. Et je lançai :

» — Je ne dis pas non du tout ! Au contraire, je serai très heureux de me conformer à vos désirs. Mais j'aimerais cependant être mis un peu mieux au courant de ce que vous attendez de moi.

» — Naturellement. Il est tout à fait normal que le secret que vous nous avez juré excite votre curiosité. Et je ne tiens pas à ce que vous arriviez ce soir sans rien savoir... Je suppose que nous sommes bien à l'abri des indiscrets ?

» — Je vous le jure !

» — Alors voici comment se présente l'affaire. Vous êtes probablement au courant de ceci : la terre à foulon est un produit d'avenir, et en Angleterre on n'en a trouvé qu'en un ou deux endroits.

» — Je l'ai entendu dire.

» — Il y a peu de temps, j'ai acheté un terrain, un très petit terrain, à une douzaine de kilomètres de Reading. Et j'ai eu la chance de découvrir qu'il y avait un dépôt de terre à foulon dans l'un de mes champs. En l'examinant toutefois, j'ai constaté que ce dépôt était relativement insignifiant, et qu'il constituait un maillon entre deux autres dépôts beaucoup plus importants, l'un à gauche, l'autre à droite, mais tous deux sur les terres de mes voisins. Ces braves gens ignoraient totalement que le sol dont ils étaient propriétaires avait la valeur d'une mine d'or. Mon intérêt, évidemment, consistait à acquérir ces terres avant qu'ils en aient deviné le prix ; mais je ne disposais pas d'un capital suffisant pour l'acheter ; je mis quelques-uns de mes amis au courant, et ils me poussèrent à exploiter mon propre petit dépôt, de façon que nous gagnions assez d'argent pour acheter les terres de mes voisins. Nous nous sommes mis à la tâche, et nous avons installé une presse hydraulique pour faciliter nos opérations. Cette presse, comme je vous l'ai dit, est déréglée ; aussi voudrions-nous avoir l'avis d'un technicien. Mais nous gardons jalousement le secret ; si le pays apprenait que nous faisons venir des ingénieurs en hydraulicité, la curiosité s'éveillerait! Et pour peu que les faits soient révélés dans leur exactitude, nous n'aurions plus qu'à dire adieu à l'espoir d'obtenir ces terrains et de faire aboutir notre projet. Voilà la raison pour laquelle je vous ai fait jurer de ne dévoiler à personne ce que vous viendriez faire ce soir à Eyford. Tout est-il clair ?

» — Je vous ai parfaitement suivi, répondis-je. Le seul point qui me semble obscur est l'utilisation d'une presse hydraulique pour l'extraction de la terre à foulon, qui s'extrait, si je ne m'abuse, comme du sable d'une carrière.

» — Ah! s'exclama-t-il négligemment. C'est que nous avons un procédé à nous. Nous compressons la terre pour en faire des briques, de telle sorte que nous pouvons en disposer sans que personne ne sache de quoi elles sont faites. Mais ceci n'est qu'un détail. Je vous ai mis entièrement dans la confidence à présent, monsieur Hatherley, et vous pouvez voir combien je vous fais confiance.

» Il se leva sur ces mots et me dit qu'il m'attendrait à Eyford à onze heures et quart :

» — Encore une fois, pas un mot à âme qui vive !

» Il me dédia un dernier regard pesant ; puis il me serra la main (il avait une main froide et humide) et me quitta.

» Lorsque je fus à même de songer de sang-froid à cette conversation, je ne pus me défendre, comme vous le pensez, d'une surprise qui confinait à l'ahurissement. D'un côté j'étais enchanté, bien sûr, car le tarif qui m'était octroyé était de dix fois supérieur à celui que j'aurais demandé si j'avais dû établir un devis ; et je me disais que cette première affaire m'en amènerait peut-être d'autres... Par ailleurs j'avais été fâcheusement impressionné par les manières de mon client, et j'avais du mal à admettre son explication à propos de la terre à foulon qui tendait à justifier à la fois son désir de me voir nuitamment et sa crainte que je ne m'ouvre à quiconque de ses plans. Cependant, je balayai mes inquiétudes, dînai de fort bon appétit, me rendis à la gare de Paddington et, lorsque le train démarra, j'avais scrupuleusement suivi à la lettre ses instructions : je n'avais soufflé mot à personne de mon aventure.

» A Reading, j'avais à prendre une correspondance ; mais je me trouvai à l'heure pour le dernier train d'Eyford, et j'atteignis la petite gare mal éclairée un peu après onze heures. J'étais le seul voyageur à descendre là, et sur le quai il n'y avait personne, à l'exception d'un cheminot qui agitait une lanterne. En franchissant le portillon, néanmoins, je trouvai mon visiteur qui m'attendait dans l'ombre. Sans un mot, il m'empoigna par le bras et me précipita dans une voiture dont la portière était déjà ouverte. Il releva les vitres de chaque côté, cogna sur la carrosserie, et nous partîmes aussi vite que le cheval pouvait nous tirer.

— Un cheval seulement ? interrompit Holmes.

— Oui, un seul.

— Avez-vous remarqué la couleur de ce cheval ?

— Oui, je l'ai vue grâce aux lanternes quand

je suis monté dans la voiture ; c'était un alezan.

— Il paraissait frais ou fatigué ?

— Oh ! frais et bien lustré !

— Merci. Pardonnez-moi d'avoir interrompu votre narration si intéressante. Continuez, je vous prie !

— Nous filâmes donc bon train, au moins pendant une heure. Le colonel Lysander Stark avait parlé d'une dizaine de kilomètres, mais compte tenu de notre allure et de la durée de notre course, la distance devait être proche du double. Il était assis à côté de moi, et il ne desserra pas les dents : il se contentait de me considérer avec une intensité que je ne pouvais faire autrement que constater. Dans cette portion du monde, les routes ne paraissaient pas très bien entretenues, car nous étions secoués par de terribles cahots. J'essayai de deviner, à travers les vitres, les lieux que nous traversions, mais elles étaient embuées d'une couche glacée : tout ce que je pouvais voir, de temps à autre, c'était la lueur d'une lumière que nous dépassions. Je hasardai quelques remarques pour rompre la monotonie du voyage, mais le colonel me répondit par des monosyllabes ; la conversation tomba. Enfin nous troquâmes les ornières de la route pour du gravier qui crissait sous les roues ; la voiture s'arrêta, et le colonel Lysander Stark en descendit. Je le suivis, mais il me tira promptement sous un porche qui s'ouvrait devant nous, et si près de la voiture que je me trouvai dans l'entrée sans avoir pu jeter un coup d'œil sur la façade de la maison. A peine avais-je franchi le seuil que la porte claqua lourdement derrière nous ; faiblement me parvint le bruit décroissant des roues de la voiture qui s'éloignait.

» Dans la maison, l'obscurité était totale ; le colonel tâtonna pour chercher des allumettes et il marmonnait des mots incompréhensibles. Tout à coup, à l'autre extrémité du couloir, une porte s'ouvrit et un faisceau de lumière dorée se fixa dans notre direction. Le faisceau s'élargit, et une femme apparut, tenant une lampe à la main : son visage était penché en avant et elle nous scrutait avec attention. Je pus distinguer qu'elle était jolie, et la lumière qui faisait briller sa robe noire m'apprit que celle-ci était d'une riche étoffe. Elle prononça quelques mots dans une langue étrangère, comme si elle posait une question, et lorsque mon compagnon lui répondit par une monosyllabe bourrue, elle sursauta et la lampe faillit lui tomber des mains. Le colonel s'approcha d'elle, lui chuchota à l'oreille quelque chose, la repoussa dans la pièce d'où elle était sortie, s'empara de la lampe et revint vers moi.

» — Peut-être aurez-vous la bonté d'attendre quelques instants ici ? me dit-il en ouvrant une autre porte.

» C'était une paisible petite chambre, modestement meublée, avec une table ronde au milieu et plusieurs livres allemands éparpillés sur le tapis. Le colonel Stark posa la lampe sur un harmonium à côté de la porte et me dit avant de disparaître :

» — Une minute seulement, s'il vous plaît !

» Je jetai un coup d'œil sur les livres et, malgré mon ignorance de l'allemand, je compris que deux d'entre eux traitaient de questions scientifiques, les autres étant des recueils de poèmes. Je me dirigeai vers la fenêtre, dans l'espoir d'apercevoir un coin de campagne, mais un volet de chêne, renforcé par une barre de fer, était mis. Cette maison était le royaume du silence. Dans le couloir, une vieille horloge dévidait un faible tic-tac ; à part cela, tout était mortellement calme. Je me sentis envahi par un vague sentiment de malaise. Qui étaient ces Allemands ? Que faisaient-ils ? Pourquoi vivaient-ils dans ce coin retiré ? Et où se situait-il, ce coin ? J'étais à près d'une vingtaine de kilomètres de Eyford ; c'était tout ce que je savais ; mais vers le nord ? ou vers le sud ? ou vers l'est ? ou vers l'ouest ? Je n'en avais aucune idée. Après tout, Reading et peut-être d'autres grandes villes, se trouvaient dans ce rayon de vingt kilomètres : l'endroit n'était donc pas si isolé que cela. Une certitude : je me trouvais en pleine campagne. J'arpentai la pièce en fredonnant pour garder mon sang-froid, et je me réconfortai en réfléchissant que j'étais en train de gagner cinquante guinées.

» Soudain, sans que j'aie pu déceler le moindre bruit préalable, ma porte s'ouvrit lentement. La femme se tenait debout sur le seuil, se détachant bien sur le fond obscur du couloir. La

lampe éclairait son beau visage ardent. Immédiatement, je m'aperçus qu'elle était folle de peur, et mon sang se glaça. Elle tendit un doigt tremblant pour m'avertir de ne rien dire, et elle me chuchota quelques mots en mauvais anglais tout en regardant constamment derrière elle, comme un cheval effrayé :

» — A votre place, je m'en irais ! dit-elle en s'efforçant au calme. Je m'en irais ! Je ne resterais pas ici ! Il n'y a rien de bon à faire pour vous.

» — Mais, madame, lui dis-je, je n'ai pas encore fait ce pour quoi on m'a demandé de venir. Je ne peux pas partir avant d'avoir vu la machine !

» — Ce n'est pas la peine d'attendre ! insista-t-elle. Vous pouvez passer par la porte : personne ne vous en empêche.

» Quand elle vit que je souriais et que je secouais la tête, elle ne se contint plus : elle fit un pas en avant et se tordit les mains :

» — Pour l'amour du Ciel ! murmura-t-elle. Partez d'ici avant qu'il ne soit trop tard !

» Mais je suis d'un naturel plutôt obstiné, et rien ne m'incite mieux à poursuivre une affaire qu'un obstacle sur mon chemin. Je songeai à la promesse de cinquante guinées, à ce voyage et à la nuit sans doute désagréable qui m'attendait... Allais-je renoncer et partir sans être payé ? Qui me disait que cette femme avait tous ses esprits ? Je me raidis, car ses façons m'avaient tout de même impressionné plus que je ne l'aurais avoué, et je lui confirmai mon intention de demeurer. Au moment où elle allait me répondre, une porte claqua au-dessus de nos têtes et des pas se firent entendre dans l'escalier. Elle écouta, leva les bras dans un geste de désespoir, et s'enfuit aussi silencieusement et aussi soudainement qu'elle était entrée.

» Les nouveaux arrivants étaient le colonel Lysander Stark et un homme trapu, pourvu d'une barbiche frisée qui décorait les plis de son double menton. Il me fut présenté sous le nom de M. Ferguson.

» — Mon secrétaire et associé, dit le colonel. Tiens, j'avais l'impression que j'avais fermé cette porte ! Vous avez dû sentir le courant d'air...

» — Au contraire ; j'ai ouvert moi-même la porte, parce que je trouvais que la pièce sentait un peu le renfermé.

» Il me lança l'un de ses regards soupçonneux :

» — Peut-être ferions-nous aussi bien d'en finir avec cette affaire, dit-il. M. Ferguson et moi-même nous allons vous conduire pour vous montrer la machine.

» — Je remets mon chapeau, alors...

» — Oh ! inutile ; la machine est dans la maison.

» — Tiens ? Vous extrayez donc de la terre à foulon dans votre maison ?

» — Non, non ! C'est seulement là que nous la compressons. Mais peu importe ! Tout ce que nous vous demandons, c'est de nous dire pourquoi elle est déréglée.

» Nous montâmes au premier ; le colonel était en tête, avec la lampe à la main, puis venait son gros associé, et moi je suivais. Cette vieille maison était un véritable labyrinthe avec des couloirs, des passages, d'étroits escaliers en colimaçon, de petites portes basses dont le seuil avait été creusé par les pas des générations qui les avaient franchies. Pas de tapis. Pas trace non plus de meubles au-dessus du rez-de-chaussée. L'humidité avait parsemé les murs de taches de moisissure verte. J'essayais de prendre un air aussi dégagé que possible, mais je n'avais pas oublié les avertissements de la dame, quoique je les eusse dédaignés, et j'avais l'œil sur mes deux acolytes. Ferguson me sembla du type morose et renfermé, mais du peu qu'il me dit je conclus qu'il devait être Anglais.

» Enfin le colonel Lysander Stark s'immobilisa devant une porte basse, qu'il ouvrit. Une petite pièce carrée apparut : nous aurions à peine pu y entrer tous trois. Ferguson demeura à l'extérieur ; le colonel me poussa dedans.

» — Nous nous trouvons maintenant, dit-il, à l'intérieur de la presse hydraulique, et si quelqu'un s'avisait de la mettre en marche, ce serait extrêmement désagréable pour nous. Le plafond de cette petite pièce est en réalité le plateau du piston descendant, qui est arrêté dans sa course par ce plancher métallique ; il a une force de plusieurs tonnes. Il y a de petites colonnes latérales d'eau à l'extérieur qui reçoivent la force et qui la transmettent et la multiplient selon la méthode qui vous est familière. L'utilisation de cette machine est assez facile, mais son fonctionnement manque de souplesse et elle a perdu un peu de sa puissance.

Je voudrais que vous ayez l'obligeance de l'examiner, et de nous montrer comment nous pourrions la remettre en parfait état.

» Je pris la lampe, et j'examinai la presse avec une grande attention. En vérité, c'était une machine gigantesque, capable d'exercer une pression énorme ! Quand j'en eus fait le tour et quand, de l'extérieur, j'actionnai les manettes de contrôle, je sus tout de suite d'après le sifflement que j'entendis qu'il y avait une légère fuite, ce qui occasionnait une régurgitation d'eau à travers l'un des cylindres latéraux. Une inspection minutieuse me montra que l'un des rubans de caoutchouc qui cerclait la tête d'une tige de commande s'était contracté, de sorte qu'il ne garnissait plus tout à fait la cavité le long de laquelle il travaillait. Telle était la cause de la déperdition de force, et je l'indiquai à mes compagnons, qui écoutaient mes observations avec grand soin ; ils me posèrent ensuite plusieurs questions pratiques quant à la réparation à effectuer. Quand je leur eus fourni toutes les indications désirables, je revins dans la chambre de la machine et la contemplai pour satisfaire ma curiosité professionnelle. Il sautait aux yeux que l'histoire de la terre à foulon était une pure invention : en effet, un engin aussi puissant était hors de proportion avec le but prétendu. Les murs étaient en bois, mais le plancher consistait en une sorte de fond de cuve métallique ; à le regarder de près, d'ailleurs, j'aperçus une croûte de dépôt de métal ; je m'agenouillai pour voir de quel métal il s'agissait exactement, lorsque j'entendis une

exclamation en allemand : la figure cadavérique
du colonel était penchée sur moi.

» — Qu'est-ce que vous faites là ? me
demanda-t-il.

» Je sentis la colère m'empoigner : n'avais-je
pas été dupé par le roman qu'il m'avait
raconté ? Je lui dis sèchement :

» — J'étais en train d'admirer votre terre à
foulon... Mais je crois que je saurais mieux vous
conseiller pour l'utilisation de votre machine si
je savais pour quel but précis vous l'employez.

» Je n'avais pas terminé ma phrase que je
regrettai déjà la hargne de ma voix. Le visage

du colonel se durcit, et une mauvaise lueur brilla dans ses yeux gris.

» — A votre aise ! grommela-t-il. Vous allez tout savoir sur cette machine.

» Il recula d'un pas, ferma la porte et tourna la clé dans la serrure. Je me ruai vers la porte, j'essayai d'actionner le loquet, mais il était très solide et il résista à mes efforts. Je me suis mis à hurler :

» — Hello ! Hep ! Colonel, faites-moi sortir ! Je veux sortir !

» Le silence seul me répondit. Puis du silence surgit un bruit qui transforma mon sang en eau : le grincement des manettes, et le sifflement du cylindre qui perdait. Le colonel avait mis la presse en marche.

» La lampe brûlait encore sur le sol où je l'avais posée au moment d'examiner la cuve. Sa lumière me permit de voir le plafond noir qui descendait, lentement, par saccades, mais, personne ne le savait mieux que moi, avec une puissance qui avant une minute m'aurait réduit à l'état de poussière. Hurlant de toutes mes forces, je me jetai contre la porte et m'accrochai avec mes ongles à la serrure. Je suppliai le colonel de me faire sortir, mais l'incessant cliquetis des manettes étouffait mes cris. Au-dessus de ma tête, le plafond n'était plus qu'à une trentaine de centimètres ; de ma main levée je touchais sa surface rugueuse… Une pensée me traversa l'esprit : tant qu'à faire que de mourir, mieux valait mourir sans trop souffrir, et le degré de cette souffrance dépendait de la position dans laquelle je serais broyé. Si je m'étendais à plat ventre, le plateau écraserait ma colonne vertébrale, et je frémis en imaginant le craquement sec de mes os. Sur le dos ce serait plus facile, peut-être... à condition que mes nerfs supportent le spectacle du plateau s'approchant lentement pour me tuer. Déjà je ne pouvais plus me tenir debout... Mais mes yeux affolés aperçurent quelque chose qui fut pour mon cœur comme une bouffée d'espoir.

» Je vous ai déjà dit que le fond de la cuve et le plafond étaient en fer, mais que les murs étaient en bois. En jetant un dernier regard autour de moi, je vis une ligne mince de lumière jaune entre deux des madriers ; cette ligne devint de plus en plus large, et finalement un petit panneau fut repoussé en arrière. Pendant quelques brefs instants, je me refusai à croire qu'une porte allait s'ouvrir par laquelle je pourrais échapper à la mort. Mais l'instinct fut le plus fort : je me lançai à corps perdu par l'ouverture, et atterris à demi évanoui de l'autre côté. Le panneau s'était refermé derrière moi, mais le bris de la lampe, suivi deux ou trois

secondes après du choc de deux surfaces métalliques, m'apprit par quelle faible marge j'avais évité le sort qui m'était destiné.

» Je repris mes sens parce qu'on me tirait violemment, frénétiquement, par le poignet ; je me retrouvai sur le sol dallé d'un étroit couloir : une femme était penchée au-dessus de moi ; elle me halait de la main gauche, et sa main droite tenait une bougie. C'était la même bonne âme dont j'avais si stupidement méprisé les avertissements.

» — Venez ! Allons ! cria-t-elle tout essoufflée. Ils seront ici dans une minute. Ils verront que vous n'êtes plus sous la presse... Vite ! Ne perdons pas de temps ! Venez !

» Cette fois je ne discutai plus. Je me remis debout et je courus avec elle le long du couloir, puis dégringolai un escalier en colimaçon. Celui-ci conduisait à un large corridor : juste au moment où nous l'atteignions, nous entendîmes des pas précipités, deux voix qui criaient, l'une répondant à l'autre, de l'étage où nous nous trouvions et de celui que nous venions de quitter. Mon guide s'arrêta : elle paraissait ne plus savoir à quel saint se vouer. Enfin elle poussa une porte ; c'était une chambre à coucher ; de l'autre côté de la fenêtre, la lune brillait paisiblement.

» — Voilà votre dernière chance ! dit-elle. C'est assez haut, mais il ne vous reste plus qu'à sauter.

» Elle parlait encore quand une lumière jaillit à l'extrémité du passage, et je reconnus la maigre silhouette du colonel Lysander Stark. Il se précipitait, une lanterne dans une main, et une sorte de couperet de boucher dans l'autre. Je fonçai dans la chambre, ouvris la fenêtre et regardai dehors... Ah! que le jardin paraissait donc avenant sous le clair de lune! Il n'était guère qu'à dix mètres au-dessous de moi. J'escaladai la croisée, mais j'hésitai à sauter: j'aurais voulu entendre ce qui allait se passer entre la femme qui m'avait sauvé la vie et la brute qui me pourchassait. S'il usait avec elle de violence, j'étais résolu à tout risquer pour lui porter secours! Déjà il était dans la chambre, déjà il l'écartait pour passer... Elle le ceintura de ses deux bras pour tenter de l'arrêter; elle lui criait en anglais:

» — Fritz! Fritz! Souvenez-vous de ce que vous m'avez promis la dernière fois. Vous m'avez juré que vous ne recommenceriez plus! Il se taira. Oh! oui, il se taira!

» — Vous êtes folle, Elise! hurla-t-il en cherchant à se dégager. Vous voulez donc nous perdre? Il en a trop vu! Laissez-moi passer, je vous dis!

» Il la rejeta de côté et se rua à la fenêtre pour m'atteindre avec son arme. Moi, j'étais suspendu par les mains au rebord de la fenêtre lorsqu'il m'assena un coup de tranchet. Je ressentis une vive douleur, je lâchai prise et je tombai dans le jardin.

» La chute ne m'avait pas blessé; je n'avais rien de cassé; malgré le choc, je me relevai et détalai à travers les buissons aussi vite que je le pouvais. Evidemment, je n'étais pas hors de danger! Brusquement, tandis que je courais, une fatigue mortelle m'envahit, et un vertige m'étourdit. Je regardai ma main, que je sentais palpiter douloureusement, et, pour la première fois, je vis que mon pouce avait été coupé net, et que le sang s'échappait de ma blessure. Je voulus nouer mon mouchoir, mais mes oreilles se mirent à bourdonner, et je m'affalai au milieu des rosiers, évanoui.

» Je ne pourrais pas vous dire combien de temps je suis resté sans connaissance. Je pense que j'ai dû rester plusieurs heures, car la lune avait cédé à la lumière de l'aube quand je revins à moi. Mes vêtements étaient trempés de rosée ; la manche de ma veste était inondée de sang. Une douleur cuisante me rappela en un éclair toutes les péripéties de ma nuit, et je me relevai. J'étais persuadé que je n'avais pour ainsi dire pas de chances d'échapper à mes poursuivants. Mais à mon grand étonnement, lorsque j'inspectai les environs, je ne vis ni jardin ni maison. Je me trouvais à l'angle d'une haie tout près d'une grand-route. Un peu plus bas il y avait un long bâtiment ; en m'approchant, je m'aperçus que c'était la gare où j'étais arrivé la veille au soir. N'eût été cette vilaine blessure à la main, j'aurais pu croire que j'avais fait un mauvais rêve.

» A demi hébété, je me rendis à la gare, et je demandai l'heure du premier train. D'ici une demi-heure il y en aurait un pour Reading. Le cheminot qui me renseigna était le même que la veille : encore en service. Je lui demandai s'il connaissait le colonel Lysander Stark. Non, il ne le connaissait pas. Avait-il vu une voiture la

veille au soir qui attendait ? Non, il ne l'avait pas vue. Est-ce qu'il y avait un poste de police dans le voisinage ? Oui, à cinq kilomètres.

» Faible et malade comme je l'étais, je renonçai à m'y rendre. Je décidai que je m'adresserais à la police londonienne, une fois arrivé. Il était un peu plus de six heures et demie quand je débarquai à Paddington ; je m'occupai d'abord de me faire panser, puis le docteur a été assez aimable pour me mener ici. Je remets mon affaire entre vos mains, et je suivrai à la lettre vos avis.

Sous le coup de cette extraordinaire histoire, nous gardâmes le silence un moment. Puis Sherlock Holmes tira de son étagère l'un des gros cahiers où il disposait des coupures de presse.

— Voici une annonce qui vous intéressera ! dit-il. Elle a été insérée dans les journaux il y a près d'un an. Ecoutez : « Disparition le 9 courant de M. Jeremiah Hayling, âgé de vingt-huit ans, ingénieur en hydraulicité. A quitté son logis à dix heures du soir ; n'a pas été revu depuis. Voici son signalement... etc. » Ah ! ah ! Voilà qui situe la dernière fois où le colonel a eu besoin d'un réglage de sa machine, j'imagine !

— Mon Dieu ! m'écriai-je. Voilà aussi qui explique les paroles de la jeune femme.

— Incontestablement. Il est certain que le colonel est un homme froid, implacable, tout à fait résolu à écarter de son chemin ceux qui auraient pu voir clair dans son petit jeu : les pirates non plus ne laissaient pas de survivants quand ils capturaient un navire... Bien ! Première chose à faire : nous rendre ensemble à Scotland Yard. Deuxième chose : une visite à Eyford.

Environ trois heures après, nous étions tous dans le train qui menait de Reading au petit village du Berkshire. Il y avait Sherlock Holmes, l'ingénieur en hydraulicité, l'inspecteur Bradstreet de Scotland Yard, un policier en civil, et moi-même. Bradstreet avait étalé sur la banquette une carte d'état-major de la région ; avec un compas, il traçait un cercle qui avait Eyford pour centre.

— Voici, expliqua-t-il. Cette circonférence est tracée d'après un rayon de vingt kilomètres autour de ce village. L'endroit que nous cherchons à identifier doit se situer quelque part près de cette ligne. Vous avez parlé, monsieur, d'une vingtaine de kilomètres ?

— A peu près une heure de route à bonne allure.

— Et vous pensez qu'ils auraient pu vous ramener près de la gare pendant votre évanouissement ?

— C'est ce qu'ils ont dû faire. J'ai le souvenir très confus d'avoir été soulevé et transporté quelque part.

— Je n'arrive pas à comprendre, dis-je, pourquoi ils vous auraient épargné quand ils vous ont découvert inanimé dans le jardin. Peut-être ces brutes ont-ils cédé aux supplications de la jeune femme...

— Cela m'étonnerait. De ma vie, je n'ai vu un visage plus impitoyable !

— Oh ! nous clarifierons tout cela ! dit Brad-

street. Voilà ma circonférence dessinée ; tout ce que je souhaiterais maintenant, c'est de savoir sur lequel de ces points nous dénicherons les gaillards après qui nous courons.

— Je crois que je pourrais poser mon doigt dessus, dit Holmes très tranquillement.

— Allons, bon ! s'écria l'inspecteur. Vous vous êtes déjà formé une opinion ? Soit ! Nous verrons qui sera d'accord avec vous. Moi je parie pour le sud, car la région est plus déserte de ce côté.

— Moi je parie pour l'est, dit mon malade.

— Et moi, pour l'ouest, renchérit le policier en civil. Il y a par là quelques petits villages bien paisibles...

— Je penche pour le nord, dis-je. Où il n'y a pas de hauteurs ; notre ami a déclaré qu'il n'avait jamais remarqué que la voiture avait escaladé une côte.

— Bien ! dit l'inspecteur en riant. Voilà une jolie diversité d'opinions : à nous tous, nous constituons une rose des vents. A qui apportez-vous votre suffrage, Holmes ?

— Vous vous trompez tous.

— Nous ne pouvons pas nous tromper tous !

— Oh ! si. Mon point à moi se situe là...

Il posa son doigt au centre du cercle et ajouta :

— Voilà l'endroit où nous les trouverons !

— Et que faites-vous de la course de vingt kilomètres ?

— Dix en avant et dix en arrière. Rien de plus simple. Vous avez dit vous-même que le cheval était frais et bien lustré quand vous êtes monté en voiture. Comment aurait-il pu l'être s'il avait déjà trotté pendant vingt kilomètres sur de mauvaises routes ?

— C'est un truc assez pratiqué en effet, observa Bradstreet d'un air songeur. De toute manière, il ne peut y avoir de doute quant au métier qu'exerce cette bande !

— Aucun doute ! répondit Holmes. Ce sont des faux-monnayeurs qui travaillent sur une grande échelle : ils se servent de la presse pour fabriquer l'amalgame qui passe pour de l'argent.

— Depuis quelque temps, nous avions été avertis qu'un gang habile s'y employait, dit l'inspecteur. Ils ont fabriqué des demi-couronnes par milliers. Nous avons relevé leurs traces jusqu'à Reading, mais pas au-delà. Ils en avaient brouillé les pistes comme de vieux renards. Mais maintenant, grâce à ce coup de chance, j'ai l'impression qu'ils ne nous échapperont pas.

L'inspecteur se trompait : ces criminels n'étaient pas destinés à la justice.

Lorsque nous arrivâmes à Eyford, nous vîmes une gigantesque colonne de fumée qui s'élevait derrière un bouquet d'arbres et qui dominait le paysage comme une immense plume d'autruche.

— C'est une maison qui brûle ? demanda Bradstreet.

— Oui, monsieur ! répondit le chef de gare.

— Quand l'incendie s'est-il déclaré ?

— Au matin, monsieur, à ce qu'on m'a dit. Mais il s'est vite développé, et tout le coin brûle.

— A qui appartient la maison ?

— Au docteur Becher.

— Dites, intervint l'ingénieur, est-ce que le docteur Becher ne serait pas un Allemand, très maigre, avec un long nez pointu ?

Le chef de gare éclata de rire :

— Non, monsieur ! Le docteur Becher est un Anglais, et il n'y a pas d'homme dans la

paroisse qui ait un veston mieux coupé. Mais il a un malade qui vit chez lui, un étranger paraît-il, qui m'a tout l'air d'un homme à qui un peu de notre bonne viande du Berkshire ne ferait pas de mal !

Nous nous précipitâmes vers l'incendie. La route grimpait le long d'une petite colline. En face de nous s'étendait une longue bâtisse en crépi, qui crachait le feu par chaque fenêtre et chaque lézarde ; dans le jardin, trois pompes à incendie essayaient vainement de venir à bout des flammes.

— C'est ici ! cria Hatherley au comble de l'énervement. Voilà l'allée de gravier... Et là, les rosiers où je me suis effondré ! La deuxième fenêtre est celle d'où j'ai sauté.

— Au moins, dit Holmes, vous avez eu votre revanche ! Sans aucun doute, c'est votre lampe à pétrole qui, lorsqu'elle a été écrasée par la presse, a mis le feu aux murs de bois ; et eux, trop occupés à vous poursuivre, n'y ont pas pris garde à temps. Regardez tout de même dans la foule : il se peut que vous reconnaissiez l'un de vos bandits de cette nuit. Mais, selon toute probabilité, ils sont déjà loin, hélas !

Les craintes de Holmes se révélèrent fondées : de ce jour jusqu'à maintenant, nous n'apprîmes aucune nouvelle de la jolie femme, du sinistre Allemand, ni de l'Anglais au visage triste. Tôt dans la matinée, un paysan avait rencontré une voiture chargée de plusieurs personnes et de caisses volumineuses, qui filait bon train vers Reading ; là, on perdit les traces des fugitifs, et Holmes dépensa en pure perte beaucoup d'ingéniosité pour les retrouver.

Les pompiers avaient été bien étonnés en découvrant d'étranges aménagements à l'intérieur de la maison ; mais ils le furent davantage en tombant sur un pouce tout frais qui traînait sur le rebord d'une fenêtre. Vers la fin du jour, ils parvinrent à dompter les flammes ; mais le toit s'était effondré ; et toute la maison présenta un tel aspect de désolation que, en dehors de quelques cylindres tordus et de tuyaux de fer, il ne subsista rien de ce qui avait coûté si cher à mon infortuné client. Dans une dépendance, on trouva de grandes quantités de nickel et d'étain ; mais il fut impossible de mettre la main sur la moindre pièce de fausse monnaie. Ce n'était sans doute pas pour rien que nos bandits s'étaient enfuis avec des caisses volumineuses, comme le paysan l'avait indiqué !

Le mystère serait demeuré entier sur le transport de l'ingénieur depuis le jardin jusqu'à l'endroit où il avait repris connaissance, si l'humidité du sol ne nous avait révélé la vérité. De toute évidence, Hatherley avait été transporté par deux personnes, dont l'une avait des pieds très petits et l'autre des pieds très larges. Nous en conclûmes que l'Anglais au visage triste, probablement moins hardi ou moins cruel que son associé, avait aidé la jeune femme à mettre hors de la zone de danger l'ingénieur évanoui.

— Hé bien ! nous dit celui-ci tandis que nous prenions nos billets pour rentrer à Londres, je me souviendrai d'une pareille affaire ! J'y ai perdu mon pouce et une rémunération de cinquante guinées. Et en échange j'ai gagné quoi ?

— De l'expérience ! répondit Holmes en riant. Indirectement, c'est peut-être un bénéfice, vous savez ? Tenez, écrivez donc votre histoire : elle vous vaudra pour le reste de votre existence la réputation d'un homme bien intéressant !

# TABLE DES MATIÈRES

l'Atelier du Père Castor présente

# la collection Castor Poche

**La collection Castor Poche vous propose :**

- des textes écrits avec passion par des auteurs
  du monde entier,
  par des écrivains qui aiment la vie,
  qui défendent et respectent les différences ;
- des textes où la complicité et la connivence
  entre l'auteur et vous se nouent et se
  développent au fil des pages ;
- des récits qui vous concernent parce qu'ils
  mettent en scène des enfants et des adultes dans
  leurs rapports avec le monde qui les entoure ;
- des histoires sincères où, comme dans la réalité,
  les moments dramatiques côtoient
  les moments de joie ;
- une variété de ton et de style où l'humour,
  la gravité, la fantaisie, l'émotion, la poésie
  se passent le relais ;
- des illustrations soignées, dessinées par des
  artistes d'aujourd'hui ;
- des livres qui touchent les lecteurs à différents
  âges et aussi les adultes.

Un texte au dos de chaque couverture vous présente les héros, leur âge, les thèmes abordés dans le récit. Vous pourrez ainsi choisir votre livre selon vos interrogations et vos curiosités du moment.

Au début de chaque ouvrage, l'auteur, le traducteur, l'illustrateur sont présentés. Ils vous invitent à communiquer, à correspondre avec eux.

CASTOR POCHE
Atelier du Père Castor
4, rue Casimir-Delavigne
75006 PARIS

## 413 **Retour à la montagne (Senior)**
## par Frison-Roche

Tous les amis de Zian sont persuadés que Brigitte est responsable de sa mort. Aussi, lorsqu'elle décide de vivre au village, d'y élever son fils, leur hostilité est vive. Pour se faire pleinement accepter, Brigitte réalisera un exploit, prouvant ainsi qu'elle est digne du nom qu'elle porte. Ce roman est la suite de *La grande crevasse*.

## 414 **Les manguiers d'Antigone (Senior)**
## par Béatrice Tanaka

Dana, par l'intermédiaire d'un cahier, raconte sa vie à Sandra, sa fille, dont elle a été séparée. Cinquante années de notre siècle défilent ainsi, ses aventures tant politiques que culturelles. La difficulté pour une femme à cette époque de concilier ses choix de vie et la pression sociale...

## 415 **La longue marche de Cooky**
## par Mary Small

Cooky, dont les maîtres viennent de déménager, s'enfuit de la voiture, et rentre directement à la maison. Oui mais la maison qu'il connaît est très très loin maintenant ! Des mois durant, Cooky traversera une région désolée d'Australie, peuplée de dingos agressifs et sauvages, mais aussi, heureusement pour lui, d'amis qui l'aideront... De son côté, Sam, son maître, ne désespère jamais de revoir son chien.

## 416 **Trois chiens pour courir**
## par Elizabeth Van Steenwyk

Scott partageait avec son père la passion des courses de chiens de traîneau. À la mort de son père, et après le remariage de sa mère, Scott consacrera toute son énergie à reconstituer un attelage de champions...

## 417 **Tout pour une guitare (Senior)**
### par Gary Soto

Alfonso veut impressionner Sandra par ses talents sportifs ; Fausto ne vit que pour la guitare, mais ne peut s'en offrir... Yollie aimerait si fort une belle robe... Les héros de ces dix nouvelles sont les adolescents d'origine mexicaine, les chicanos, pour la plupart sans le sou, mais dignes et âpres à la besogne.

## 418 **Le dernier sultan de Grenade (Senior)**
### par Vicente Escriva

Pendant sept cents ans, l'Espagne islamique rivalise avec la Grèce, l'Egypte et Rome dans tous les domaines. Mais la splendeur du royaume de Grenade est fauchée par les armées d'Isabel la Catholique, en 1492. Boabdil est le dernier sultan de Grenade. Il voulait faire de son royaume un oasis de paix et de beauté. L'histoire en a décidé autrement.

## 419 **L'élixir de tante Ermolina**
### par Liliane Korb et Laurence Lefèvre

Jordi vit avec son grand-père, redoutable professeur en retraite. La cohabitation est difficile. Jules-Norbert, pour soigner une douleur tenace, absorbe imprudemment le contenu d'une vieille bouteille. Le résultat dépasse toutes ses espérances, le voilà avec le corps d'un enfant de dix ans ! Jordi tient une bonne vengeance, mais Jules-Norbert ne trouve pas ça drôle du tout...

## 420 **Glace à la frite**
### par Evelyne Stein-Fisher

À dix ans, Doris est ronde, beaucoup trop ronde. Oui mais elle adore les nounours en gomme et les frites ! Dès qu'un souci surgit, elle se rue sur ses stocks secrets de bonbons préférés... et, résultat, ne rentre plus dans son maillot de bain rose... or elle doit aller à la piscine avec l'école...

## 421 **Le mouton noir et le loup blanc**
par Bernard Clavel

Trois histoires amusantes mettant en scène des animaux qui ont des préoccupations bien humaines. *Au cochon qui danse*, où un cochon veut être célèbre. *L'oie qui avait perdu le Nord*, Sidonie tente d'entraîner les oiseaux dans son sillage. *Le mouton noir et le loup blanc*, l'amitié d'un loup et d'un mouton, ligués contre les hommes.

## 422 **La neige en deuil (Senior)**
par Henri Troyat

Isaïe Vaudagne et son frère Marcellin vivent au hameau des Vieux-Garçons. À la suite d'un accident de montagne, Isaïe a dû abandonner le métier de guide. Marcellin ne supporte plus leur vie misérable. Un avion s'écrase sur un sommet proche, Marcellin veut piller l'épave, mais pour cela il a besoin de son frère...

## 423 **La route de l'or**
par Scott O'Dell

Le capitaine Mendoza est animé par la fièvre de l'or ; le père Francisco veut sauver des âmes ; seule la géographie passionne Esteban... Une grande expédition réunit ces hommes que tout sépare. L'or déclenche bien des passions, même chez le plus pacifique des hommes.

## 424 **Cher Moi-Même**
par Galila Ron-Feder

Yoav, enfant d'un milieu défavorisé est placé dans une famille d'accueil à Haïfa. Il doit rédiger son journal et se prend vite au jeu. Récits cocasses et serments de vengeance, petits triomphes et gros chagrins, le journal reçoit tout en vrac. Un jour, Yoav a une bien meilleure idée de confident.

## 425 **Sur la piste du léopard**
## par Cecil Bødker

Une nouvelle fois le léopard emporte un veau de Tibeso, le gardien du troupeau. Il part alors au village voisin chez le grand sorcier chercher conseil. Mais le léopard n'est pas le seul responsable des vols, Tibeso le sait, et les brigands savent aussi qu'ils ont été découverts par un enfant. C'est le début d'une course poursuite haletante...

## 426 **Un véritable courage**
## par Irene Morck

Depuis toute petite, Kéri lutte contre la peur. Peur des vaches, peur des autres enfants, et surtout peur de galoper sur la jument que ses parents viennent de lui offrir. Une excursion à la montagne avec sa classe lui donnera l'occasion de prouver à tous que, confrontée à l'épreuve, elle ne se dérobe pas...

## 427 **Prisonniers des Vikings**
## par Torill T. Hauger

Lors d'un raid viking en Irlande, Patric et Sunniva sont capturés et emmenés en Norvège comme esclaves. La société viking obéit à des lois biens étranges et biens rudes pour deux enfants catholiques. Bientôt, ils profitent d'une attaque pour fuir vers l'Islande, reverront-ils un jour leur terre natale ?

## 428 **Au nom du roi**
## par Rosemary Sutcliff

Damaris a grandi au pays de la contrebande, elle en connaît tous les signes. Cette nuit-là, un homme blessé fait partie du chargement, il fuit la gendarmerie. Qui est-il ? Damaris a-t-elle raison de lui porter secours en secret ?

## 429 Étrangère en Chine (Senior)
par Allan Baillie

Peu après la mort de son père, Leah, adolescente australienne, effectue sa première visite en Chine avec sa mère dont c'est le pays d'origine. Leur voyage est un retour aux sources, mais Leah supporte mal le choc culturel, rien de la Chine ne lui plaît. Sa rencontre avec Ke, qui participe activement à la révolte étudiante de la place Tienanmen, pourrait tout changer...

## 430 Le Mugigruff la bête du Mont Grommelon
par Natalie Babbitt

Par temps de pluie, des pleurs lancinants s'élèvent du Mont Grommelon. Depuis plus de mille ans, une bête abominable vit là-haut dans la brume à donner des frissons aux habitants du bourg niché au pied du mont. Un garçon de onze ans, en visite chez son oncle, décide d'aller là-haut voir de quoi il retourne...

## 431 Entorse à la patinoire (Senior)
par Nicholas Walker

Benjamin et Belinda sont partenaires en danse sur glace. Ils ont des dons certains, et le savent. Mais les dons sont loin de suffire et, à trois semaines d'un championnat, rien ne va plus. Chutes, difficultés, déconvenues, blessures, tout se ligue pour fissurer une entente toujours précaire. Entre les adolescents, la tension monte, inexorable...

## 432 La vie aventureuse de Laura Ingalls Wilder
par William Anderson

Laura Ingalls Wilder a charmé des générations de lecteurs avec sa chronique de *La petite maison dans la prairie*. Dans cette biographie détaillée, ses admirateurs vont enfin trouver les réponses à toutes leurs questions. Des photos de l'époque, le plus souvent extraites de l'album de famille, accompagnent ce récit.

## 433 **Pour dix dollars (Senior)**
## par Mel Ellis

Ham a volé dix dollars pour s'acheter un vélo. Sitôt acheté, le vélo a été volé..., et toute l'horreur de son forfait apparaît au garçon. Impossible d'avouer sa faute. Une seule solution : rendre les dix dollars. Mais chaque tentative pour gagner cet argent se solde par une catastrophe. Ham se souviendra longtemps de cet été-là...

## 434 **Le livre de la jungle**
## par Rudyard Kipling

Mowgli, l'enfant loup, Baloo, l'ours débonnaire, Bagheera, la panthère noire, peuplent la jungle de Kipling. Mais dans *Le livre de la jungle,* nous découvrons aussi Kotick, le phoque blanc, qui veut soustraire ses frères au massacre de l'homme ; Rikki-tikki-tavi, la mangouste qui tue les cobras pour sauver son maître...

## 435 **Deux filles pour un cheval**
## par Nancy Springer

Jenny partage une passion pour les chevaux avec sa nouvelle voisine Shan. Tout semble simple ! C'est compter sans l'hostilité de la classe entière coalisée contre Shan, seule Noire de l'école. Même le paysan voisin qui permettait à Jenny de monter son cheval interdit formellement la venue de Shan sur le pâturage. Les deux amies devront faire face...

## 436 **Le Roi du Carnaval**
## par Bertrand Solet

Le carnaval est une fête folle, c'est le jour où tout peut se dire, presque tout se faire. Protégés par des masques, les jeunes fustigent les méchants, déclarent leur amour aux belles, rêvent de ripailles, inventent l'avenir. Le Roi du Canarval est élu parmi les plus pauvres. Il régnera, le temps d'une nuit étrange...

## 437 **Les visiteurs du futur (Senior)**
## par John Rowe Townsend
À Cambridge, en été, les touristes sont légion, mais la famille que rencontrent John et son ami Allan est vraiment bizarre. Les parents se disent professeurs d'université. Ils avouent ne jamais être venus à Cambridge et semblent pourtant connaître la ville, la circulation automobile les fascine, de même que les bars que le père paraît découvrir avec ravissement. Qui sont donc David, Katherine et Margaret ? D'où viennent-ils ?

## 438 **Les aventures de La Ficelle**
## par Michel Grimaud
Au village, tout le monde connaît le vieux La Ficelle, on aime ses histoires car il en a vu du pays ! Il en a vécu des aventures quand il était chercheur d'or en Guyane, ou seringueiro dans la forêt amazonienne. Il s'est même retrouvé chef d'une tribu d'Indiens... De retour en France, il aime à se souvenir...

## 439 **La Petite Fadette (Senior)**
## par George Sand
Landry et Sylvain sont jumeaux, bessons, comme on dit dans le Berry. Ils sont inséparables quoique très différents. La petite Fadette est une voisine, bien mal considérée, mais n'est-ce pas injustement ? Lequel des deux bessons se fera-t-il aimer d'elle ?

## 440 **Le monde des Pieuvres géantes**
## par France Vachey
Lucile a un grand frère, Grégoire, passionné de jeux vidéo qui passe des heures entières devant sa console. Un jour, Lucile se rend compte que Grégoire est complètement fasciné par son écran, hypnotisé, son regard devient fixe, ses yeux se ternissent... Il faut sauver Grégoire, le délivrer de l'emprise du monde des Pieuvres géantes !